D1247785

Екатерина **Вильмонт**

Екатерина **Вильмонт**

Девственная селедка

МОСКВА • АСТРЕЛЬ • АСТ

УДК 821.161.1
ББК 84 (2Рос=Рус)6
В46

Подписано в печать с готовых диапозитивов заказчика 11.09.09 г.
Формат 84×108¹/₃₂. Бумага газетная. Печать высокая с ФПФ.
Усл. печ. л. 15,1. С.: ПС-Вильмонт. Тираж 4000 экз. Заказ 1733.
С.: Совр. женщ. Доп. тираж 6000 экз. Заказ 1734.

Общероссийский классификатор продукции
ОК-005-93, том 2, 953000 — книги, брошюры

Санитарно-эпидемиологическое заключение
№ 77.99.60.953.Д.009937.09.08 от 15.09.2008 г.

Вильмонт, Е. Н.

В46 Девственная селедка/ Екатерина Вильмонт. — М.: Астрель: АСТ, 2010. — 284, [4] с.

ISBN 978-5-17-059237-1 (АСТ) (ПС-Вильмонт)
ISBN 975-5-271-23805-5 (Астрель)

Оформление обложки дизайн-студия «Дикобраз»

ISBN 978-5-17-059238-8 (АСТ) (Совр. женщ.)
ISBN 975-5-271-23806-2 (Астрель)

Оформление обложки дизайн-студия «Графит»
Автор иллюстрации на обложке — Яна Бабаян

Какие странные штуки иной раз устраивает жизнь! Журналист Родион Шахрин, собираясь в отпуск на греческий остров Корфу, даже предположить не мог, в какой попадет переплет! Внезапная и, похоже, безнадежная любовь вынуждает закоренелого холостяка поступиться своими принципами. Но стоит ли игра свеч?

УДК 821.161.1
ББК 84 (2Рос=Рус)6

ISBN 978-985-16-7010-5
(ООО «Харвест»)(Совр. женщ.)
ISBN 978-985-16-7589-6
(ООО «Харвест»)(ПС-Вильмонт)

Часть первая

В самолете Платону приснилась Ева. Нет, не праматерь, а вполне реальная девушка Ева, которая когда-то, очень давно, вдруг ни с того ни с сего куда-то исчезла. Бросила его. Он тогда был вне себя, не столько от горя, сколько от досады. Как она могла? Женщины, как правило, не бросали его, ни до, ни после. Вероятно, поэтому она и запомнилась ему. Но уже много лет он не вспоминал о ней. К чему бы этот сон? Интересно, а я узнал бы ее при встрече? Вряд ли... В ней, кроме имени и вполне отвечающей имени женственности, пожалуй, ничего особенного не было. А впрочем, где мне ее встретить? И вообще, в моем возрасте, с одной стороны, еще рано предаваться воспоминаниям о девчонках, а с другой... с другой стороны, надо думать о делах. Он попросил стюардессу принести коньяку, открыл лэптоп, и прежде чем погрузиться в работу — необходимо еще раз проверить все позиции, завтра предстоят весьма важные переговоры в Детройте — как-то весело подумал: Теперь она в своем возрасте наверняка зовется по имени-отчеству: Ева... черт, не помню ее отчества, а может и не знал никогда... Ева Ивановна? Ева Петровна? Нет, лучше Ева Сидоровна! Это круто!

2007 год. Остров Корфу

— Спорим, Родька на нее западет! — сказал Олег Васильевич жене.

— Вряд ли, — отозвалась та. — Хотя, она вполне.

Объектом их обсуждения была женщина, расположившаяся неподалеку. Появившись в отеле два дня назад, она привлекла всеобщее внимание. По крайней мере все, с кем супруги Долговы успели познакомиться, почему-то говорили об этой женщине. Она была одна, но общества явно не искала. Что она русская, выяснилось лишь потому, что на пляже читала русскую книгу. А поскольку остров был маленький, достопримечательности быстро исчерпались, то загадочная незнакомка была неплохой пищей для пересудов.

— Она ждет мужика, — определила жена Олега Васильевича. — Посмотришь, через день-другой он тут объявится.

— Почему ты так думаешь, Вавочка?

— Потому что даже на пляж таскает с собой мобильник.

— Ну и что? Просто деловая женщина.

— Ерунда, может, и деловая, но ждет мужика, потому и держится особняком. А что касается Родьки, то он предпочитает молоденьких. И потом, он же не один прилетит. Кстати, я не уверена, что это была удачная мысль.

— Ты о чем?

— Откуда мы знаем, что за бабу он привезет... Она может испортить нам весь отдых.

— Вавочка, мы не позволим! Да и надо знать Родьку. Если что не так, он живо отправит девушку восвояси. И приударит за незнакомкой. Она в его вкусе. Куда это ты смотришь?

У выхода на пляж стоял молодой человек лет двадцати, сложенный, как молодой бог. Он озирал пляж, явно кого-то ища. Но не находил. Раздраженно повел плечами, а потом сложил руки рупором и во весь голос гаркнул:

— Лали!

— Идиот, разве можно так орать! — поморщилась Вавочка.

Парень вдруг сорвался с места, вбежал в воду, и поплыл к буйкам.

— Ну, что я говорила! — с торжеством воскликнула Вавочка. — Этот красавец приехал к ней! Смотри! Смотри!

Олег Васильевич посмотрел по направлению ее взгляда. Незнакомка висела на буйке, отдыхая после дальнего заплыва. Парень подплыл к ней, она обняла его, стала целовать.

— Ничего себе... Он ей в сыновья годится...

— Да нет, ей от силы года тридцать два — тридцать три. Это как пить дать любовник! Завидуешь? — засмеялся Олег Васильевич.

— Если тут кто и завидует, так это ты... Тебе такие бабы нравятся...

— А вот и нет, не люблю худых, мне надо, чтобы было за что подержаться, вот как у моей Вавочки...

И он огладил жену по круглому колену.

— А Родька точно западет.

— Но в сравнении с этим юным Адонисом...

Между тем юный красавец на руках вынес женщину из воды. Вид у нее был сияющий.

— Вавочка, сгоришь, перевернись. И хватит пялиться. Дай-ка мне часы! Ого! Я побежал в душ, а ты приходи через четверть часа, если хочешь ехать в аэропорт. А то может не стоит? Я и один их встречу.

— Пожалуй, я не поеду. Девушка Родьки не даст вам загулять. Здешний аэропорт не слишком волнующее место, я лучше позагораю.

Олег Васильевич обрадовался. Круглосуточное общение с женой несколько утомляло, хоть он любил ее всем сердцем.

Едва Олег Васильевич ушел, как к Вавочке подошла дама, с которой они познакомились позавчера на экскурсии.

— Видали?

— А я была убеждена, что она кого-то ждет. Дождалась! — не без зависти вздохнула Вавочка.

— А мне ее даже жалко.

— Почему?

— Романы с мальчиками всегда плохо кончаются.

— Ах боже мой, а какие романы хорошо кончаются? И что такое хороший конец романа? Брак?

— Тоже верно — засмеялась дама. — Хотя брак наверное предпочтительнее разрыва, особенно, если инициатива его принадлежит мужчине. А в данном случае так и будет... Как вы думаете, Вава, почему она с такой идеальной фигурой всегда в закрытых купальниках и только в черных?

— Ну мало ли... может, у нее шрамы какие-нибудь.

Между тем молодой человек сбегал к пляжному бару и принес себе и незнакомке по имени Лали по коктейлю.

— Похоже, «Кровавая Мэри», — заметила дама, которую звали Антонина Антоновна.

— Грамотный выбор! — отозвалась Вавочка.

— Почему?

— Потому что жарко. А от «Кровавой Мэри» в жару не развозит.

— Вы серьезно?

— Вполне.

— Вавочка! — позвал ее муж. — Хватит! Уходи с пляжа. Сгоришь!

Олег Васильевич, уже одетый, махал ей рукой.

— Ой, и вправду пора! — засобиралась Вавочка.

Ей вдруг стало обидно, что Олег поедет в город без нее.

— Олежек, подожди меня десять минут, я с тобой! Вы там, небось, обедать пойдете, а мне тут одной скучно...

— Вавочка!

— Ну хорошо, езжай, — смилостивилась она. Ей было хорошо известно, что если муж настроился ехать один, не надо ему навязываться. Кроме раздражения это ничего не вызовет. — А я лучше приму душ, посмотрю телевизор, поваляюсь с книжечкой, может, посижу потом в баре...

Олег Васильевич облегченно вздохнул.

Взятый напрокат «форд» он оставил возле отеля. Поехал на такси, чтобы хоть выпить за встречу. Ведь сейчас прилетит друг, с которым не виделись бог знает сколько. Года два, наверное, хоть и живем в одном городе, черт, что за жизнь пошла, вздохнуть некогда.

Родиона он увидел сразу. Они обнялись.

— Привет, дружище. Сколько лет, сколько зим! А где твоя девушка?

— Нету девушки. И вообще, глупость сплошная ездить на отдых со своей девушкой, все равно что...

— В Тулу со своим самоваром? — засмеялся Олег Васильевич.

— Именно! А ты что, без самовара тут?

— Да нет, мой самовар всегда со мной, как бетховенский сурок. Но мой сурок очень умный, знает, что нельзя быть слишком деспотичным.

— Да, тебе повезло, братишка. Вавочка чудная баба. Ну что? Сразу в отель или кутнем маленько? Давно не видались...

— Кутнем, Родька, кутнем. Я нарочно на такси приехал. Выглядишь недурно.

— Да и ты, старичок, тоже еще о-го-го!

— Обменялись комплиментами! Поехали в город!

— Пристойный ресторан там есть?

— Пристойные они почти все, но не более.

— А нам более и не надо, подумаешь какие гурманы!

— Да, особенно если вспомнить студенческие пирушки.

— А я вот всегда вспоминаю пироги с грибами, которые пекла твоя бабушка...

— Вавочка печет не хуже.

— А она еще печет?

— Да, Родька, ты сколько у нас не был? Лет пять наверное?

— Так не звали же!

— Куда было звать, теща в параличе три с половиной года маялась... Не до пирогов было...

— Да я пошутил, Олежка. Прости.

— Ладно, проехали. А что братец твой?

— Сгинул. Переехал в Нью-Йорк и пропал. Даже в годовщину смерти мамы не позвонил. Не до нас ему, видно.

— Похвастаться нечем?

— Кто его знает... Может, наоборот... Да ну его... Расскажи лучше про дочку.

— О, Настя у нас удалась! Учится на отлично. Красавица. В следующем году кончает школу. Собирается во ВГИК поступать.

— А способности-то есть?

— Говорят, есть. А как ты, Родька?

— Вроде все путем... Слушай, а что за отель? Пляж близко?

— Пляж свой, хороший.

— А на пляже есть на кого посмотреть?

— Ну, это дело вкуса...

— Можно подумать, ты моих вкусов не знаешь...

— Вкусы меняются.

— Да нет...

— Есть одна, мы даже с Вавочкой поспорили, я сказал, ты на нее западешь, а она говорит, ты моло-деньких любишь.

— Что за баба?

— Слушай, приедем, увидишь... Кстати, городок прелесть.

— Черт, что, так и будем с чемоданом таскаться? — сообразил Родион.

— Да, я как-то не подумал. А впрочем, есть одна идея.

— Внимаю!

— Я тут Вавочке шубку купил, дорогую, так хозяева как-то к нам прониклись, приглашали захо-дить... Попробуем у них оставить.

— Эх, хорошо, — воскликнул Родион, вылезая из такси.

По выщербленным мраморным плитам старин-ного городка, напоминавшего какие-то фильмы, они углубились в путаницу узких романтических улочек.

— Ты тут уже ориентируешься? — спросил Родион. — Впрочем, ты всегда хорошо ориентировался.

В меховом магазине Олега узнали, с радостью согласились принять чемодан и даже предложили кофе с ликером из кумквата, местной гордости.

— Славные люди, — заметил Родион.

— Да, старик такой профи... Мы с Вавочкой только сунули туда нос, как он говорит: «Мадам, есть шуба специально для вас!» Снял с вешалки, Вавка ахнула, примерила — чудо! Как на заказ сшито! С одного взгляда... Я говорю, может еще в других магазинах посмотрим, а она ни в какую. Хочу эту! Так мы потом, уже купив, в другие магазины все-таки заглянули. Но ничего даже близко напоминающего эту шубу не увидели.

— Да, Олежек, ты, как это у классика говорилось: какой-то там «идеал московских всей мужей». Повезло Вавке!

— Знаешь, это мне повезло, старичок. Мне с ней легко.

— И на сторону не ходишь?

— Специально нет. Зачем? Но если подвернется что-то и можно без особого риска, то почему бы и нет...

— Ну да, пресловутая полигамия... — засмеялся Родион. — А что тут надо заказывать?

— Я лично обожаю мусаку.

— Это что-то с баклажанами, да?

— Да.

— Ну что ж, поскольку мы в Греции, будем есть мусаку и пить метаксу?

— Давай!

— А ты куда это смотришь, Олег?

— А тут эта бабенка...

— Какая?

— Не оглядывайся, неудобно.

— Какая бабенка? Объясни толком.

— Та, что я для тебя присмотрел. Но, боюсь, ты опоздал, она тут с молодым любовником.

— А ей сколько?

— Максимум тридцать три — тридцать четыре.

— А любовнику?

— Лет двадцать. Красавец...

— Тем интереснее будет отбить.

— Так ты ж ее еще не видел! — засмеялся Олег.

— Сейчас погляжу! — Родион встал и направился вглубь кафе — они сидели на террасе — в туалет. Через несколько минут он появился и рассеянным взглядом окинул террасу. Его как будто ударили под дых. С первого, мимолетного взгляда он понял, что это его женщина. Он любил эту чисто русскую красоту. Русые, гладко зачесанные волосы, прелестный овал чистого, нетронутого ботоксом и прочими мерзостями лица. Большие синие глаза, грустные и глубокие. И на лице явственно читалась любовь. Надо сказать, что и объект этой любви был хорош! Отобью! Во что бы то ни стало, отобью!

— Ну что?

— Недурна...

— Я все-таки выиграл пари?

— Какое еще пари? — рассеянно спросил Родион.

— С Вавочкой.

— ...Пожалуй, выиграл... А что ты выиграл?

— Торт!

— Ах да, ты же любишь сладкое...

— Обожаю, а Вавочка меня ограничивает. Слушай, а столь юный соперник тебя не смущает?

— Да где мальчишке со мной тягаться? Слушай, а как ее зовут?

— У нее красивое имя... Лали.

— Лали? Что это за имя?

— Не знаю...

— Погоди, кажется, у Окуджавы что-то было... В темно-красном своем будет петь для меня моя Лали...

— Дали, старичок, Дали...

— Подумаешь! А для меня будет петь Лали...

— Ну ты самоуверенный тип!

— Хочешь пари, еще на тортик?

— Нет, Родя, я на такие вещи не спорю. Когда дело касается женщин, нет уж, уволь...

— Вот за что я люблю тебя, Олежек, так это за твою порядочность... В наше время это раритет. Давай-ка за это выпьем!

Родиону безумно хотелось оглянуться.

— Скажи, а что еще ты о ней знаешь?

— Да ничего практически. Приехала одна, парень появился только сегодня. Ходит все время в черном, даже купальники и те черные... Курит. Впрочем, это я только сейчас увидел. Отлично говорит по-немецки, я слышал на рецепшн.

— Но она русская?

— Да. На пляже читает русские книжки. А ты что, всерьез решил приударить за ней?..

— Да, знаешь ли... Она меня заинтриговала.

— Вот так, с первого взгляда, на выходе из сортира?

— Представь себе.

— Верю, ибо хорошо тебя знаю. Ты всегда быстро загорался... Но признайся, будь она тут одна, такого эффекта не было бы?

— Возможно, — улыбнулся Родион, а про себя произнес: «Был бы... Это моя женщина».

— Значит, хочешь разбить бедняжке сердце, отвадить от нее этого юного красавца, а потом бросить?

— Нет, — покачал головой Родион. — Я готов хоть завтра на ней жениться.

Олегу показалось, что он ослышался.

— Что ты сейчас сказал?

— Повторяю для глухих: Я... готов... на ней жениться. Хоть завтра.

— Ни фига себе! — ахнул Олег. — А если она не клюнет на тебя?

— Почему это?

— Может, она и вправду любит этого мальчика?

— Разлюбит!

— А если она замужем и это просто курортный роман?

— Разведется.

— Глупые шутки, — рассердился вдруг Олег Васильевич.

— А я не шучу.

— Ладно, брось. Расскажи лучше, как твои дела?

— Какие?

— Работа твоя как?

— Работа? Нормально, как говорят нынче молодые, все пучком. Кстати, ты понимаешь, почему пучком?

— Понятия не имею. Это надо у нашей Насти спросить.

— А вы почему ее с собой не взяли?

— Так сентябрь же. В школе она.

— А с кем осталась?

— Одна.

— И ты не боишься?

— Да нет, она взрослая разумная девица.

— А парень у нее есть?

— Школьные мальчишки крутятся, но она их презирает.

— Черт, когда я ее видел последний раз, это был еще утенок, хоть и не гадкий, но все же...

— А теперь такая стала... Но хорошая... умная... — лицо Олега расплылось от отцовской гордости. — Но честолюбива — жуть! В кого, не пойму.

— Честолюбие штука полезная, в наше время особенно.

Олег Васильевич увидел, что Лали со своим красавцем поднялись и пошли к выходу. Юноша положил руку на плечо дамы.

— Уходят, — сказал Олег другу.

— Ничего, увидимся с ней в отеле. Слушай, а парень с ней в одном номере?

— Откуда я знаю? Он только нынче утром появился. Но надо полагать...

— Ну, если она замужняя, должна жить отдельно. Иначе риск большой.

— Слушай, а может, она вдова? Потому и ходит в черном?

— Ну, значит она ханжа и сука. Носит траур и трахается с мальчишкой. Впрочем, траур можно носить и по отцу с матерью, хотя это нынче не модно. Олег, мы тут с тобой обедаем, а Вавочка?

— Ну, она тоже голодная не сидит.

— У нее уже есть там знакомые?

— Конечно, — ласково улыбнулся Олег Васильевич.

— Тогда знаешь что... Ты пока не говори Вавочке, что выиграл пари, а торт я тебе куплю. Не хочу пока никаких разговоров об этом, понимаешь?

— Согласен, — засмеялся Олег. — Но торт — это не обязательно.

— Обязательно! Там в номерах холодильники есть?

— В мини-баре.

— Вот и отлично. Поставим туда тортик и будем тайком его жрать и запивать текилой, я купил две бутылки в дьюти-фри.

И оба расхохотались как мальчишки.

После обеда они еще пошлялись по городу и пошли за чемоданом.

Войдя в меховой магазин, они сразу увидели Лали. Она стояла перед зеркалом в меховой жакетке, а юный любовник на диванчике пил кофе с ликером.

У Родиона екнуло сердце.

— Вам очень идет! — сказал он женщине.

— Спасибо! — рассеянно ответила она, занятая собственным отражением.

— Да, в самом деле, необыкновенно идет, — подтвердил Олег.

— О, мы, кажется, в одном отеле живем... — улыбнулась женщина. — А ваша жена тоже здесь?

— Нет, моей жене мы уже купили здесь шубу. Вот друг прилетел, мы тут оставили чемодан... Кстати, позвольте представиться, Олег... Родион, иди сюда...

Родион, уже с чемоданом, подошел.

— А это мой друг Родион.

Она посмотрела на него, потом слегка нахмурилась, словно что-то припоминая...

— А мы не встречались раньше? Хотя нет... я, видимо, ошиблась...

— Вы безусловно ошиблись, я бы никогда не мог забыть столь потрясающе красивую женщину.

— Лали! — она протянула руку.

Он поцеловал ее.

— Лали, можно тебя на минутку! — подошел молодой человек.

— Да, милый...

Он что-то зашептал ей на ухо. Она рассмеялась, но кивнула.

— Так вы считаете, мне эта штука идет? — кокетливо спросила она.

— О да! — хором воскликнули друзья. Впрочем, абсолютно искренне.

— Спасибо, пожалуй, я ее куплю, очень уж недорого. — И она обратилась к хозяину на прекрасном немецком языке. Оба говорили быстро. Олег совсем не знал немецкого, а Родион знал, но плохо.

— Господа, вы на чем собираетесь ехать в отель? — вдруг спросила Лали.

— На такси.

— А у нас тут машина, можем подвезти вас или хотя бы ваш чемодан, если вы хотите еще погулять.

— Спасибо вам огромное, мы уже вполне нагулялись.

— А вы не купили жакетку? — спросил вдруг Олег.

— Пока нет, у меня с собой нет наличных, а хозяин просил бóльшую часть заплатить наличными.

— От налогов скрывается, понятно, — засмеялся Олег.

— Я еще просила перешить пуговицы, они чересчур блестят, а я этого не люблю.

Олег краем глаза смотрел на молодого человека. Тот только посмеивался. Кажется, его позиции очень крепки, он уверен в себе. А зря... Если Родька чего-то по-настоящему хочет, он всегда добивается своего. Потому-то я и не стал с ним держать пари.

1987 год. Деревня Половинка

Мороз стоял лютый, а в доме у бабушки было тепло, пахло чем-то вкусным, родным.

— Ох, Евушка, как исхудала-то вся, прозрачная совсем. Ничего, я за каникулы-то тебя откормлю. Что ты там в Москве-то кушаешь?

— Да что придется, бабуль... Ох, как вкусно!

— Ешь, ешь, девонька.

Когда внучка наконец наелась, старуха спросила:

— Ну, а что мать-то твоя непутевая?

— Бабусь, она замуж вышла...

— Давно это?

— Да уж год...

— А что за мужик-то?

— Да он ничего, хороший...

— Не пьяница?

— Нет, он совсем не пьет.

— Как это? — удивилась бабушка.

— Не знаю, — засмеялась Ева, — не пьет и все.

Ева хотела сказать бабушке, что мать с новым мужем три месяца назад уехала в Израиль, но, собственно, в Израиль они не собирались. Прямо из Вены поехали в Италию, где до сих пор дожидаются разрешения на въезд в Америку. Но ей не хотелось, чтобы бабка знала, что Ева осталась в Москве совсем одна.

— А что ж, она мне-то не написала?

— Не знаю, бабусь...

— А он чем деньги-то зарабатывает?

— Журналист он. В газете работает...

— Ишь ты, путевый значит?

— Путевый, путевый...

— И с вами живет?

— С нами, с нами...

Ева ненавидела вранье, хотя в данном случае это была ложь во спасение.

— Ну, а у тебя никто еще не завелся? Ты вон красивая девка...

— Нет, бабусь...

— Ой, врешь, девка, по глазам вижу, врешь! Говори, что за парень...

— Да, бабусь, пока еще говорить не о чем... Только недавно познакомились...

— Сколько годков-то ему?

— Двадцать три.

— А звать как?

— Платоном.

— Платоном? Надо ж, редкое по нашим-то временам имя. И что у вас?

— Ничего, бабусь... Один раз в театр сходили... Один раз в гостях были. На дне рождения его друга.

— А что за семья-то?

— Бабусь... ну хватит, говорю ж, пока ничего у нас нет... просто нравлюсь я ему.

— Смотри, девка, там в Москве-то у вас с этим делом легко, переспали и разбежались, не годится так.

— Бабусь, никто еще ни с кем не переспал.

— Смотри у меня, узнаю, пришибу. Хватит с меня одной шалавы... А чего мать тебя не кормит, что ли?

— Почему, кормит. Просто я занимаюсь много, знаешь как в медицинском трудно учиться.

— Ничего, зато доктором будешь. Дело хорошее... Уважаемое...

— Ох, бабусь, я так наелась, в сон клонит.

— Ну иди, ложись...

— Да нет, я сперва со стола приберу...

— А прибери, и правда, ты молодая, а я что-то умаялась. Вот выучишься на доктора, станешь бабку лечить...

Утром Ева проснулась, на дворе было совсем еще темно, но кто-то уже тюкал топором — дрова колол. Неужто бабушка с утра пораньше?

Ева вскочила. Нет, бабушка возится у печки. Ева глянула в окно. В утренних сумерках она увидала какого-то мужика, который действительно колол дрова.

— Доброе утро, девка. Заспалась!

— Доброе утро, бабусь. Кто это там дрова колет?

— Да сосед новый. Из ссыльных. Но золотой мужик. Помогает мне. Ты, кстати, оденься, не ходи так, он к нам завтракать придет. Очень он мои оладушки уважает.

— Бабусь, ты сказала, из ссыльных?

— Ага. Он в лагере сидел, потом ему лагерь на ссылку сменили...

— Политический?

— Да. Хороший мужик, только озлобленный очень.

Стук топора смолк, а вскоре в сенях раздался топот. Потом в дверь постучали.

— Варвара Семеновна, можно?

— Заходи, заходи, Георгий Иванович. Вот, познакомься, внучка моя из Москвы пожаловала. На доктора там учится.

— Здравствуйте, — проговорила Ева, с любопытством глядя на незнакомца. — Меня зовут Ева.

— Ева? А и впрямь — Ева! — он смерил ее каким-то странным недобрым взглядом. Но ее почему-то бросило в жар. Он был крупный, немного мешковатый, небритый...

— Евушка, подай Георгию Иванычу полотенчико.

Ева с горящими непонятно отчего щеками кинулась к бабкиному комоду.

Георгий Иванович ел красиво, как-то не по-деревенски. Хотя руки у него были грубые, запущенные, огромные, на безымянном пальце левой не хватало одной фаланги. Но Ева не могла отвести от них глаз, они словно заворожили ее. А бабка решила, что внучка просто от смущения не может глаз поднять на чужого мужчину. Это бабке понравилось.

— Ох, и вкусно же у вас, Варвара Семеновна. Я уж сам пробовал делать оладушки по вашему рецепту, ничего не выходит. Небось секрет у вас какой-то есть.

— Есть, а как же, — задорно рассмеялась бабушка. — Руки женские должны это делать. Негоже мужику оладушки жарить.

— Ну почему, говорят, самые лучшие повара мужчины, — подала голос Ева.

— Я про то не знаю. Может, для больших начальников мужики стряпают, а для нас, простых людей, лучше бабьих рук в этом деле нету. Права я, а, Георгий Иванович?

— Правы, правы, Варвара Семеновна. А что, Ева, как там сейчас в Москве? Что слышно с этой перестройкой и гласностью? Не заглохли еще?

— Нет! Вон в декабре академика Сахарова из ссылки вернули...

— Слыхал, слыхал...

— А еще за границу потихонечку пускать начали.

— Серьезно? — вдруг напрягся гость.

— Да! Маму одного нашего студента вдруг в Германию пустили, по приглашению. Она и не надеялась... Причем не к родным, а к подруге! И в Израиль тоже... Один знакомый журналист пять лет был в отказе, и вот недавно выпустили...

— Какой-такой журналист? — вдруг вмешалась бабка.

— Друг маминого мужа, — скороговоркой ответила Ева.

— Ну-ну, поживем — увидим... — пробормотал гость.

— А вы не верите в перестройку, да?

Он вдруг улыбнулся, и Ева увидела, что глаза у него синие и молодые.

— Нет, Ева, хотелось бы верить, да пока рано. Все еще сто раз захлебнуться может.

— Да, у нас тоже так говорят, а я вот верю!

— Ну-ну. Поглядим!

— Вот увидите, Георгий Иванович! — вдруг осмелела Ева. — Когда я через год к бабусе приеду, вас уже тут не будет!

— А где я, по-вашему, буду через год?

— Ну, я не знаю, откуда вы...

— Из Ленинграда.

— Значит, в Ленинград вернетесь...

— Да нет, не хочу я в Ленинград... Да и смешно мне в моем возрасте верить в розовые сказки. Тем более в нашей стране.

— Но ведь возвращаются уже! Академик Сахаров...

— Так это ж какая фигура... Весь мир видит, а я кто для мира?

— Посмотрим!

— Ладно, спасибо на добром слове, Ева, а вам, Варвара Семеновна, за приют, за ласку. Пойду сложу дрова.

Он вышел.

— Что ты, девка, горячку порешь! Не знаешь о человеке ничего. Некуда ему возвращаться в Ленинград. Да и вообще...

— Бабусь, а за что его посадили?

— Да не знаю я точно, но только как его забрали, жена с ним развелась, мать его старую из квартиры на летнюю дачку выселила, она там и померла... Сукой последней жена-то оказалась. Ни передачки ему, ничего... Адвоката оплатить не пожелала... Друзья, правда, помогали, прошлый месяц двое даже приезжали к нему, а он потом напился, едва себя не порешил... Это они ему про мать рассказали... Он не знал, думал так, от болезни да от горя померла... Он у матери единственный был, да и то сказать, она его поздно родила, в сорок два года, тоже бедолага одиннадцать лет сидела ни за что... И отец... Он из немцев был, сосланных в Казахстан.

— Дааа, бабусь... И эта падла, его жена, старую женщину, столько настрадавшуюся, просто выгнала? Куда ж его друзья хваленые смотрели? — вскипела вдруг праведным гневом Ева.

— Да я толком и не знаю... А может все еще не совсем так было... Может, кто из друзей-то к женке его подъезжал, она от ворот поворот дала, а он счеты свести так решил.

— Бабусь, ты что!

— Бывает так, девка, бывает! Мужики-то они иной раз и мельче и подлее бабы бывают. Ладно, ты не вешай нос-то, поди к Шурке сходи, она уж сколько раз прибегала, когда Евка приедет! Соскучилась по подружке-то.

— Да ладно, успею еще. Бабусь, а тебе может помочь чего надо, ты говори.

— Да не надо. Я и сама еще справляюсь, спасибо, вот Георгий Иванович с тяжелой работой помогает.

— Ой, а телевизор-то у вас когда-нибудь будет?

— Обещают все. Да только и без телевизора жить можно, а то, говорят, в городах-то скоро уж дети родиться перестанут, родители все телевизор смотрят...

Ева засмеялась, поцеловала бабушку. В этот момент раздался стук в дверь и тут же дверь распахнулась и в дом влетела Шурка, старая подружка, румяная от мороза.

— Евка, приехала! Ой, какая ледащая стала, мамоньки мои. Баба Варя, что ж это делается, кожа да кости. Так замуж никогда не выйдешь!

— Много ты понимаешь, сейчас худые в моде, чем тощее, тем лучше, — засмеялась Ева, обрадовавшись подруге детства.

— Да ну, скажешь тоже... Мужик не собака, на кости не бросается.

— Так в Москве мужики тоже за модой следят!

— Да ладно врать-то! — хохотала подружка. — Евка, а пошли вечером в клуб. Там кино сегодня, хорошее, говорят.

— Какое? Может, я видела уже?

— Не запомнила я название! Но вроде индийское.

— Ох, не люблю я индийское! Чуть что поют и пляшут.

— Ну и чего? А мне нравится... А может, там и не индийское... Ну, давай сходим.

— Черт с тобой! А танцы будут?

— Какие танцы? С кем у нас танцевать-то? Ой, Евка, ты знаешь, Вальку Скуратова домой в цинковом гробу привезли.

— Из Афганистана, да? — перешла на шепот Ева.

— Не знаю, говорят... Но тишком. Боятся. Парней совсем не осталось. Ев, а в Москве-то на танцы ходишь?

— Нет. Некогда мне. Правда, в институте в самодеятельности участвую. Пою в ансамбле.

— Да? А в институте парней-то много?

— Хватает.

— А у тебя никто еще не завелся?

— Да нет...

— Ой, баб Варя, мы пойдем погуляем, ладно?

— Да идите, сороки!

Девушки оделись и выбежали на улицу.

— Ой, а воздух-то какой тут!

— А чего воздух? Воздух он везде воздух!

— Да, попробовала бы ты... В Москве знаешь сколько машин, заводов, фабрик...

— Ладно, про это я и сама знаю! Ты мне лучше про парня своего расскажи.

— Да я не знаю, чего рассказывать...

— А все. Ты же знаешь, я никому никогда...

— Нет, правда, мы только недавно познакомились.

— Было уже чего?

— Чего?

— Сама что ль не понимаешь?

— Честно? Было.

— Ой, и как?

— Да ничего особенного... Даже неприятно сначала. А потом ничего... Мне, Шур, девчонки наши книжку одну дали, американскую...

— Про что? — с придыханием спросила Шурка.

— Ой, Шур, там такие вещи... Тетка одна все в подробностях описывает, как и чего надо делать женщине, чтобы доставить удовольствие мужику и самой тоже чтоб приятно было.

— Ну, мужику, известно как угодить, ноги раздвинуть и не рыпаться.

Ева захохотала.

— По той книжке выходит, что рыпаться как раз очень сильно надо. Это одна часть, а вторая наоборот, что мужику делать...

— Евка, расскажи!

— Ну вот еще... Я тебе расскажу, а здешний мужик еще чего доброго тебя прибьет...

— А ты эту науку пробовала?

— Нет пока... Я стесняюсь. Надо привыкнуть.

— Господи, да чего ж там такое? Хоть на ушко шепни. Интересно же...

Ева и в самом деле шепнула ей что-то на ушко.

— Тьфу, с ума сошла? Гадость какая! Да я лучше умру... Стыдобища...

В этот момент Ева увидела идущего им навстречу Георгия Ивановича.

— Ой, здрасьте, Иваныч! — крикнула Шурка.

— Привет, девушки.

Он скользнул по ним взглядом, а Ева вдруг опять ощутила странную дрожь в ногах.

— Это ссыльный у нас тут...

— Знаю, он к нам нынче заходил.

— Да, бабка твоя его привечает... Филипповы его в избу пустили, а сами в Омск подались к сыну. К нему наши мужики сперва привязываться стали... Ну, по пьяни... Он Саньку Лещева так отделал... Тут они хотели в мусорку его сдать, а он ведь раз в неделю сам туда мотается, отмечаться, оно ему надо? Он остальным мужикам водки выставил, они и угомонились, а Лещеву одному кто поверит? Да он и сам к мусорам не пойдет... А баб наших Иваныч к себе не подпускает. В шею гонит. Говорят, у него в районе одна есть...

Эти слова почему-то были очень неприятны Еве.

Глупость какая... Зачем мне сдался этот хмурый старый мужик? Лагерник... У меня же есть Тоник... Он красивый, молодой, перспективный, из хорошей семьи и он меня любит...

— Евка, ты чего столбом стала? Айда в клуб, глянем, что за кино.

— Слушай, Шур...

Но в этот момент к ним подскочила Зойка Духовских.

— О, москвичка пожаловала! Как дела-то?

— Привет, Зой. Дела лучше всех.

— Что-то я гляжу, ты в своей Москве вовсе отощала. По радио говорили, у вас с продуктами перебои...

— Мне хватает.

— Зой, а Евка говорит, в Москве нынче тощие в моде.

— И чего? Мало ль какие у них моды, а у нас своя.

Зойка была пухлая, румяная, кровь с молоком. Говорили, за ней зам. прокурора района ухлестывает. Правда, он женатый, с двумя детьми. Но при катастрофической нехватке здоровых мужиков и это было достижением. Правда, отец Зойки, прослышав про этот роман, чуть шкуру с нее не спустил. Но зам. прокурора поговорил с ним по-свойски. Тот притих, но запил...

Все это Шурка рассказала Еве по дороге в клуб.

Увидав написанную от руки афишку «Блондинка за углём», Ева явственно ощутила пропасть, отделившую охваченную перестроечной эйфорией полуголодную Москву от этой заброшенной деревни со смешным названием Половинка, где она прожила шесть лет, с девяти до пятнадцати. Однако пяти лет в Москве хватило, чтобы пропасть показалась непреодолимой... Никогда бы сюда не приезжала, если бы не бабушка. Вот, если поженимся с Платоном, заберу бабушку в Москву, ей тут тяжело одной... Хорошо, хоть этот ссыльный помогает... Но он ведь может скоро уехать, все к тому идет, политических, наверное, скоро всех отпустят.

— Ну что, Евка, ты это кино смотрела?

— Ага.

— Ну и как?

— Мне не понравилось.

— Почему?

— Не понравилось и все! — отрезала Ева.

— А мне стоит сходить?

— Сходи! Там артисты хорошие, — обрадовалась Ева, ей вдруг стало скучно с Шуркой. Лучше дома посижу, бабушка обещала шанежек напечь, с картошкой, ее любимых. Может Иваныч придет... С ним, по крайней мере, есть о чем поговорить.

— Ой, а как же ты?

— Да нормально, я учебники почитаю, мне надо...

— Евка, нешто ты и вправду доктором будешь?

— Буду, если не лениться.

— Ой, какая ты стала...

— Какая?

— Сознательная чересчур! Вон даже про парня своего не рассказала...

— Так рассказывать пока нечего.

— Как это нечего, коли ты с ним уже... того...

— О таких вещах не рассказывают.

— Дура ты! — вдруг рассердилась Шурка.

— Ну и ладно! Дура так дура. Пока, — Ева повернулась и побежала домой. Снег под старыми валенками скрипел весело и радостно, словно обещая, что все у нее будет хорошо.

2007 год

Номер у Родиона был в коттедже «с видом на сад», вернее на чудную зеленую лужайку, с маленькой открытой террасой, где стояли плетеные кресла, столик и сушилка для плавок и полотенец. Кроме того возле террасы стоял шезлонг. Над ним раскинула ветви старая олива.

Солнца не было, и купаться он не пошел. Разобрал вещи и посмотрел на часы. До встречи с друзьями за ужином оставалось еще полчаса.

И вдруг он увидел, что по лужайке идет этот парень, хахаль Лали, в мокрых плавках. Родиону показалось, что он направляется к нему. Выяснять отношения, что ли? Он напрягся. Но нет, парень его попросту не замечал.

— Лали! — крикнул он.

— Я тут! — раздался ее голос... с соседней террасы.

— Зря ты не пошла купаться. Вода роскошная!

— Я утром пойду.

— Ну уж нет, я утром буду спать!

— Немедленно надень сухие трусы. Свежо, еще простудишь свое хозяйство.

Ишь ты, заботится, злобно подумал Родион. И очень явственно представил себе ее в объятиях этого юного жеребца. Он ушел в комнату и плотно закрыл раздвижную дверь. А то еще услышишь ненароком их любовные стоны... Тьфу! Пойду лучше посмотрю территорию, пока совсем не стемнело. Однако, взглянув на себя в зеркало, он решил, что надо бы побриться. Он знал, что Вавочка терпеть не может небритых мужиков. А он нежно любил жену старого друга.

Через десять минут, свежевыбритый и даже нарядный, он вышел через другую дверь и нос к носу столкнулся с Лали.

— О, мы соседи? — спросила она.

— Видимо, да! — обрадовался он тому, что секс с юным красавцем вряд ли занял бы так мало времени. То есть можно, конечно, управиться и куда быстрее, но она была так безмятежна, так аккуратно прибрана, да и глаза не те...

Надо было что-то говорить.

— Простите ради бога, а где здесь народ питается?

— В главном корпусе.

— Спасибо. А вы не туда направляетесь?

— Нет, я пойду позже.

— Тогда простите, я вас оставлю, меня ждут друзья.

Ему пришлось уйти. Она опять была в черном платье без рукавов с ниткой бирюзы на шее, отчего глаза казались бирюзовыми.

Черт возьми, какая женщина... Высший класс. Это тебе, Родя, не Верка, той цена два гроша в базарный день... Какое счастье, что я ее не взял сюда... Хотел бы я знать, этот хахаль с ней в одном номере живет?

— Родька! — кинулась к нему Вавочка. — Я заснула, вас дожидаясь! Что ж вы, мерзавцы такие, меня не разбудили?

— Вавочка, прости! Выглядишь потрясающе! Загорелая, молодая, глаза блестят!

У входа в главный корпус отеля сверкала витрина ювелирного магазинчика. Вавочка задержалась возле нее.

— С ума сойти, мы тут уже пять дней, утром и вечером два раза ходим на кормежку и всякий раз она пялится на эту витрину.

— Значит, надо ей тут что-нибудь купить, — рассмеялся Родион.

— Так она не носит драгоценности.

— Тогда зачем пялится?

— Поди спроси. Женщина!

— Слушай, Олег, Лали оказалась моей соседкой.

— Да?

Но тут Вавочка оторвалась от витрины.

— Ой, простите, мальчики!

— Что ты там высматривала? — решился спросить Родион.

— Да ничего, просто красиво... — чуть смущенно улыбнулась Вавочка.

Они увидели, как из лифта вышел юный любовник Лали, в джинсах и голубой рубашке.

— Петь, ну сколько тебя ждать! — навстречу ему поднялся молодой парень в очках.

— Прости, старик, но я точен. Это ты пришел раньше. Ладно. Погнали!

Молодые люди выбежали из холла и через минуту уже садились в машину, на которой Лали привезла Родиона и Олега из города.

Он оставил ее одну и уехал с приятелем в город, на гулянки, это совершенно очевидно. Так всегда бывает, когда женщина связывается с парнем намного моложе себя, мстительно подумал Родион.

После ужина друзья уселись в баре. Погода была чудесная, столики стояли на свежем воздухе.

— Родя, ты почему такой задумчивый? — спросила Вавочка.

— Да просто устал, рейс-то был утренний, ночь практически не спал... Ничего, высплюсь и завтра буду как огурчик.

И тут он увидел Лали. Она подошла к столику довольно далеко от них, села и сделала какой-то знак официанту. Вид у нее был вполне спокойный. Непохоже, что она страдает от отсутствия этого альфонса... Может, он ей надоел уже? Может, надо брать быка за рога?

— Вавочка, прости, но я просто обязан пригласить к нам эту даму, она привезла нас с Родькой из города...

— Какую даму?

— Лали.

— Да? — загорелась Вавочка. — Что ж ты мне сразу не сказал? Конечно, поди пригласи ее.

Настоящий друг, подумал Родион. Он видел как Олег подошел к ее столику. Она улыбнулась ему. Но на его предложение ответила отказом. Покачала головой, еще раз улыбнулась. Олег поцеловал ей руку и вернулся к их столику.

— Мадам не соизволила? — обиженно проговорила Вавочка.

— Увы! — развел руками Олег.

— Чем мотивировала?

— Да ничем. Просто поблагодарила и отказалась. Не мог же я особенно настаивать. Она поняла, что мы хотим как-то ее отблагодарить... Вот, собственно, и все. Знаешь, Вавочка, меня что-то здорово клонит в сон. Может, пойдем уже?

— Идите, ребята, я расплачусь.

— Ну что ж, пойдем, Олежек, я тогда телевизор посмотрю. Спокойной ночи, Родя.

— Сладких снов, красавица.

Они ушли. Надо завтра же купить Олегу торт. А мальчишка, похоже, живет в главном корпусе. Отдельно. Он встал и направился к ее столику.

1987 год

Утром Ева спросила:

— Бабусь, а Георгий Иванович что, не придет сегодня?

— А тебе зачем?

— Он интересный человек... И еще мне его жалко.

— Ой, гляди, девка, не пара он тебе.

— Да что ты, бабусь! Я просто по-человечески... ты ж вот тоже его жалеешь...

— Мне можно, я старая. А он нынче в район пошел, ему ж в милиции отмечаться надо. Да и баба у него там...

— А, понятно. Бабусь, а научи меня твои оладушки печь. Вкусные уж очень.

— Зачем это? — засмеялась бабка. — Кого кормить-то думаешь?

— Подружек там, ну и Платона...

— Ишь ты... А у тебя часом карточки его нет?

— Есть, — покраснела вдруг Ева.

— Покажешь?

Ева вытащила из сумки учебник, где между страничками лежала цветная фотография Платона. Она рада была переменить тему, а то и так почти выдала себя.

— Вот, бабусь, смотри.

Варвара Семеновна обтерла руки полотенцем и взяла фотографию.

— Ишь какой... Красивенький... Любезный... Гладкий... А он работает, учится?

— Работает. Он экономист-международник.

— А это что еще за зверь такой? Что делает?

— Я, бабусь, сама не знаю. Вроде занимается международной экономикой.

— Зарабатывает хорошо?

— Я не спрашивала.

— Ну а с родными он тебя знакомил?

— Нет пока.

— Любит он тебя?

— Говорит...

— Ой, девка, будь поосторожнее с таким... На него небось бабы вешаются. Неспокойно мне что-то...

— Почему, бабусь?

— Да мать твоя шалавая разве углядит за тобой?

— Бабусь, мне уж двадцать лет, я взрослая.

— Вот замуж выйдешь, тогда и будешь взрослая.

— А если я вообще замуж не выйду? — звонко рассмеялась Ева.

— Это как? В девках останешься? Не приведи господь. С мужем-то хорошо жить, сладко, особливо ежели любимый...

Значит, я Платона не люблю? Никакой сладости я пока не почувствовала. Правда, говорят, это приходит с возрастом.

— Но без мужа — ни-ни. Последнее дело, по рукам пойдешь. Как мать твоя беспутная. Тьфу!

— Неправда, мама хорошая, и муж у нее теперь хороший.

— Значит, скоро бросит ее.

— Бабусь, зачем ты так?

— А чего ж она к матери мужа-то не привезла показать? Даже и не сообщила, что замуж вышла.

— Она на тебя обижена.

— На обиженных воду возят! И где такое видано, чтобы на мать родную обижаться? Ладно, заболталась я с тобой тут. Ты вот что, девка, к курям наведайся, может яичко свеженькое скушаешь.

Ева поняла, что бабка не хочет продолжать разговор.

Целый день Ева, сама себе удивляясь, ждала возвращения Георгия Ивановича. Но он так и не появился. Небось заночевал у своей... — вдруг с ненавистью подумала Ева. А чего я бешусь, мне-то что? Тянет меня к нему... Бабка вот говорит, с любимым сладко... Почему-то мне кажется, что с ним было бы сладко... А почему? Где ему до Платона... Нет, надо выбить эту дурь из башки... Хотя причем тут башка?

На другое утро она проснулась поздно. Прислушалась. На кровать вскочил бабусин кот Чалдон. Пушистый красавец. Бабуся запрещала ему на кровать прыгать, а Ева наоборот, привечала, а котище и рад, ластится, мурлычет.

— Хороший, хороший, котяра, умный, ты чего, голодный небось? — Ева вскочила в одной рубашке и налила коту молока.

— Бабусь! — позвала Ева, но тут же вспомнила, что бабка еще вечером предупредила, что пойдет с утра в сельсовет.

На столе в кухне стояла тарелка, прикрытая мисочкой. Ева приподняла миску. Там горкой лежали оладушки. Ева и себе налила молока, достала банку с медом, помазала оладушки. Ох, как вкусно. Она даже не присела, так ей хотелось есть, просто одной коленкой встала на стул. Бабушка не одобрила бы такого — в одной рубашке, нечесаная, неумытая... В сенях вдруг раздался топот. Ева замерла.

— Можно, Варвара Семеновна?

Дверь отворилась. На пороге стоял Георгий Иванович.

У Евы от смущения ноги отнялись. Она ощутила, что он буквально раздел ее взглядом.

— Ой, простите... — пробормотала она. — Я сейчас...

— Не смущайтесь... Вы такая красивая... Настоящая Ева...

Он сделал шаг к ней. Но вдруг отвернулся.

— Простите, ради бога простите, — и как ошпаренный выбежал из дома.

— Ты чего так сияешь, а? — спросила бабушка, застав внучку за учебниками. — Покушала?

— Да, бабусь, спасибо.

— Так чего радуешься?

— Не знаю, хорошо мне тут у тебя, бабусь...

— Да оно видно, вон уж щечки не такие проваленные... Ничего, я тут тебя откормлю. — Бабушка погладила ее по голове. — Волосы у тебя хороши, у меня в молодости такие ж были... Ты их только не стриги, не вздумай!

— Ой, я хотела, даже в парикмахерскую пошла, а тетка-мастер и говорит: нет, такую красотищу резать не буду. Ну я и ушла. Но с ними столько возни, сохнут долго и вообще...

— И не думай, девка! Мужики любят длинные волосы, любого спроси. А у вас в Москве, говорят, это редкость большая. Молодые, они глупые, хотят быть как все, а уж ты мне поверь, лучше быть на особицу.

— Ой, бабусь, в Москве длинноволосых тоже хватает.

— Да видала я в кино, они там все больше с распущенными волосами-то ходят. Это срам.

— Почему?

— Да пойми... это ж все равно что голой при людях ходить. Бабу голую да с распущенными волосами только муж должен видеть.

— Это, бабусь, пережитки!

Опять в дверь постучали.

— Варвара Семеновна!

— Заходи, заходи, мил человек.

Это опять был Георгий Иванович. На Еву он не смотрел.

— Вот, Варвара Семеновна, забрал я вашу справку, как обещал. И пряников мятных купил.

— Спасибо, спасибо тебе, Иваныч. Чаю хочешь? С пряничками, а?

— Да нет, спасибо, я пойду, наверное...

— Нет, мил человек, ты уж попей с нами чайку-то... Мы, Евушка, с Георгием Иванычем очень мятные пряники уважаем. Особливо ежели свеженькие. Поставь стаканы-то. Да вареньица достань.

Бабушка налила всем чаю, откусила кусочек пряника.

— Ох, хорошо... В Москве-то у вас такие пряники есть?

— Бывают, только все больше черствые.

— А у нас в районе в пекарне один ссыльный пекарь их делает... Секрет знает, они долго не черствеют. Так знаешь, его хотели обратно в лагерь закатать, из зависти. Неймется людям, ежели кто-то что-то лучше делает. Технолог начал его гнобить, нарушение технологии, то, се, но он ничего, отбился, правда, жена второго секретаря райкома помогла, ее детишки очень уж те пряники обожают.

Ева не могла оторвать взгляда от рук Иваныча. Глаз он на нее не поднимал. Между ними вдруг словно возникла тайна, о которой никто не должен был догадаться.

— Вот, Георгий Иваныч, ты скажи моей дурище, чтобы волосы-то не стригла.

— Что? — словно очнулся от забытья сосед.

— Да вон она косу отрезать хочет. А я говорю, не смей!

— Да, вы правы, жалко, красивые волосы... — пробормотал он. — Жалко, очень жалко. — Он вдруг поднял глаза. Еве показалось, что они стали совсем темными, хотя только что были голубыми.

— Да ладно, уговорили! — с торжеством засмеялась она, чувствуя, что победила, наповал сразила этого мощного немолодого мужика.

Зачем он мне, думала она ночью. Незачем, а все равно приятно. Ей было радостно и весело.

Ева пробыла у бабки еще девять дней, но Георгия Ивановича больше ни разу не видела. Он не заходил в бабке, не появлялся во дворе.

На четвертый день Ева не выдержала.

— Бабусь, а чего это Иваныча не видно? — как бы между прочим спросила она.

— В район ушел. К бабе своей. Да еще какие-то бумаги ему пришли, вроде к лету освободится. А тебе чего? Нешто глаз на него положила?

— Да ты что, бабусь? — ахнула Ева. — Просто был человек и вдруг нету. А глаз ты знаешь на кого я положила...

— Да уж, справный малый, не Иванычу чета.

— Вот именно!

2007 год

— Лали, вы позволите?

— Садитесь, — не слишком приветливо отозвалась она.

— Спасибо. Такой чудный вечер сегодня...

— Я здесь уже несколько дней и все вечера такие.

— Это приятно.

— Да.

Она не стремилась поддерживать беседу. Достала сигарету из пачки. Он схватил со столика зажигалку.

— Вы красиво курите.

— Спасибо. Я думала вы скажете другое...

— Что именно?

— Что курить вредно и еще, что целовать курящую женщину, все равно что пепельницу.

— Боже! Я произвожу такое кошмарно-пошлое впечатление?

— Да, пожалуй, нет, — засмеялась она. От улыбки ее лицо буквально расцветало.

— Я хотел сказать совсем-совсем другое, но, боюсь, это все-таки тоже будет банальность.

— Попытайтесь.

— Нет, пожалуй не буду. А скажите лучше, почему вам показалось, что мы знакомы?

— Шутки памяти, ничего больше.

Она опять умолкла. Только что ему почудилось, что она готова с ним флиртовать, но видимо обманулся.

— Лали, а почему вы одна?

— В каком смысле?

— Ну, вы днем были с этим юношей...

— А вечером без юноши, только и всего.

— Ох, как с вами трудно.

— Да. Со мной трудно. И если вы решили за мной приударить, то должна сразу честно предупредить — бесполезно. Только время потеряете.

— А я не спешу.

И он пристально посмотрел ей в глаза, включая на полную мощность свое мужское обаяние.

Но на нее, похоже, это не действовало.

— А почему, позвольте спросить? Из-за этого мальчика?

Она вдруг фыркнула.

— Представьте себе.

— Но зачем такой очаровательной женщине сидеть вечером одной в баре, пить вполне мужской коктейль и отшивать возможных поклонников, тогда как юноша развлекается в городе и неизвестно еще...

— Вы хотели сказать, неизвестно еще с кем, да?

— Именно.

— Я должна ответить на эту тираду?

— Хотелось бы.

— Хорошо. Потому что мальчикам в девятнадцать лет следует на отдыхе развлекаться.

— Но... Разве вас это не... унижает?

— Унижает? Да почему?

Она уже вывела его из терпения.

— Потому что вы намного старше, а он... он же ваш любовник, а вы готовы мириться с его свободой?

Она вдруг начала хохотать.

— Чему вы смеетесь? Что я такого сказал?

— А с чего вы взяли, что он мой любовник? Бред! Это мой сын!

— Сын? — поперхнулся коктейлем Родион.

— Представьте себе, сын.

— А почему он зовет вас по имени?

— Сейчас это называется прикол. Он так прикалывается. Помните днем, когда я примеряла жакетку, он меня отозвал в сторонку?

— Ну?

— Он мне шепнул: мам, давай поприкалываемся над этим дядькой, он явно на тебя запал.

— Правда? У меня гора с плеч... Но послушайте, Лали, сколько же вам лет? Мне и в голову не могло прийти, что у вас такой сын...

— Мне сорок один год. Хотя задавать такие вопросы...

— Знаю, простите, не удержался. Но тогда за этим неприличным вопросом следует другой, возможно, еще более неприличный.

— Да?

— Если этот парень ваш сын, почему вы не оставляете мне шансов? Боитесь сына? Он проболтается вашему мужу?

— Мой муж умер полтора года назад.

— Простите.

— Я любила его, по-настоящему любила, и была с ним безмерно счастлива. А паллиативы мне не нужны. Я понятно объяснила?

— Более чем. Лали, простите, я ничего не знал, я не хотел вас обидеть, боже упаси. Обещаю вам — никаких ухаживаний, никаких поползновений... Но просто общаться мы можем? Как друзья?

— Какие ж мы друзья? Это любовь бывает с первого взгляда, а дружба...

— И дружба с первого взгляда тоже бывает, поверьте мне. Вот взять хотя бы Олега... Мы встретились в студенческом лыжном лагере, попали в одну комнату, посмотрели друг на друга и тут же сдружились. У нас такое совпадение, мы так понимаем друг друга... Давайте попробуем.

— И как мы будем пробовать? — улыбнулась она. Он вдруг понравился ей. В нем есть обаяние.

— Ну, для начала я вам представлюсь. Родион Николаевич Шахрин. Журналист. Не женат и это истинная правда, а не курортный трюк. Живу в Москве, в трехкомнатной квартире на Кутузовском, которая досталась мне от родителей. Отец умер десять лет назад, а мама — три года. Ну а вы?

— Сведения исчерпывающие. — В ее глазах что-то мелькнуло. Но он не понял, что. — А я пока считаю, что и так многое о себе рассказала.

— Как угодно даме.

— Ну что ж, Родион Николаевич, спокойной ночи.

Она вытащила из сумочки кошелек.

— Позвольте...

— Нет, не позволю. — Она достала из кошелька несколько монет и оставила на столе.

— Погодите, Лали, мы же соседи, я вас провожу.

Она хотела отказаться, но он обезоруживающе улыбнулся.

— Извините, но кажется, все немного не так...

— То есть?

— Я ж только приехал и боюсь, что в темноте могу заблудиться. Честное слово, это не уловка...

— Так и быть!

1987 год

Пришла весна. Близилась сессия. У Евы голова уже шла кругом от бесконечного корпения над учебниками. К тому же она неважно себя чувствовала. Платон сделал ей предложение почти сразу по возвращении ее от бабки. Она раздумывала. Его это уязвляло.

— Знаешь, Тоник, я так не хочу. Надо мне познакомиться с твоими родителями, чтобы все как у людей... А вдруг я им не понравлюсь?

— Ну и что? Это же я на тебе женюсь.

— Нет, так нельзя.

Подружка Женька развопилась:

— Ты больная? Такой парень! Такая семья!

— Я именно не знаю, какая семья.

— Да какая, хрен, разница! Главное, выйти замуж!

— Нет, главное...

— А что, что главное?

— Нет, так, ничего...

Ева никому, даже Женьке, не сказала ни слова про странного, старого — целых сорок лет ему! — мужика. Да и говорить-то, собственно, нечего было. Но время шло, Платон настаивал и она сказала:

— Тоник, вот твои родители в мае вернутся из загранки, тогда и подадим заявление.

— Как хочешь, — пожал плечами он. Эта строптивость и раздражала и одновременно заводила его. Да другие девчонки были бы на седьмом небе от счастья, а эта еще выдрючивается. Но другие как-то не нравились ему. Правда, он вовсе не уверен, что мама одобрит его выбор. Но, по крайней мере, не сможет сказать, что Еве нужна их квартира, у нее своя есть, пусть и плохонькая совсем, но все же... И прописка. С этой стороны не придерешься. Она красивая, хоть и одета бедненько, но это поправимо. Студентка, будущий врач. Это все маму устроит. Застенчивая... Вроде все хорошо, но мама обязательно скажет, что она не нашего круга... Но тут можно рассчитывать на отца. Он эти разговоры про наш и не наш круг терпеть не может. Если Ева в остальном ему понравится, то мама смирится и начнет присылать Еве шмотки, так что через год Ева будет не хуже всех других девчонок «нашего круга». А я, кажется, здорово втюрился. Есть в ней изюминка... есть. И женой она будет хорошей, вполне хозяйственная, готовит неплохо, а какое тело... С ума спятить можно...

— Евка, не будь дурой! Постарайся понравиться его мамаше и тогда будешь жить как у Христа за пазухой. Ты ж сейчас почти голодаешь... Ты вообще у него дома-то была?

— Нет.

— Почему?

— А зачем? Он ко мне приходит.

— А он что, тебя не звал?

— Почему? Звал.

— А ты не пошла?

— Не-а!

— Да почему?

— Как бы тебе объяснить... У них наверняка все очень богато... Папаша какой-то там то ли посол, то ли консул, вечно в загранке...

— И что?

— А то... Тоник наверняка устраивает там какие-нибудь пьянки, вечеринки, его брат, наверное, тоже...

— Ну и что, не понимаю!

— А вдруг там что-то пропадет?

— И ты боишься, что подумают на тебя, что ли?

— Именно! Доперла наконец! А мне это нужно?

— Да, но почему ты решила, что подумают на тебя?

— Потому что я из другого круга...

— Ой, Евка, какая ты рассудительная... Я бы так не смогла... Погоди, или ты его просто не любишь?

— А я не знаю... Вообще-то он хороший...

— Знаешь, Евка, это все сопли и слюни. Любишь — не любишь. А замуж с холодной головой лучше выходить. Все равно же надо замуж. А Тоник твой хоть не алкаш, не лимитчик и вообще хороший парень... Или у тебя кто другой на примете есть? Ой, Евка, колись!

— Да нет никого. Просто так... померещилось чего-то...

— Евка, если ты мне не расскажешь, я не знаю что с тобой сделаю. А я никому никогда ни полсловечка, ты ж меня знаешь!

Еве так хотелось хоть кому-нибудь поведать свою историю! Хотя какая история? Никакой истории и не было, так... И она рассказала Женьке о том, что пережила в деревне у бабки. Женька слушала затаив дыхание.

— И все? — воскликнула она, когда Ева завершила свой рассказ.

— И все.

— Ну ты и дура!

— Почему?

— Коза ты, Евка, тебя такой парень замуж зовет, перспективный, красивый, молодой, с шикарной профессией, а ты в зэка втюрилась. В старика! Точно, извращенка.

— Ты чего разоралась, Жень?

— Нет, я не понимаю, ты с ним даже не целовалась, ты его никогда в жизни больше не увидишь, а тут... Декабристка хренова... Да это сейчас он ссыльный, а скоро его назад в лагерь загребут, вот папка мой говорит, что скоро опять гайки закрутят и где он тогда будет, твой политкаторжанин? Опять же на каторге. И ты с ним загремишь... Папка говорит, сейчас дали людям выпустить пар, а потом опять зажмут еще чище прежнего, после такой вольницы зажим будет будь здоров...

— Жень, прекрати орать! Он между прочим меня не звал замуж, он вообще никуда меня не звал, даже в кино, просто мне тоже захотелось выпустить пар, как выражается твой отец. Вот я тебе и рассказала... про свои ощущения. И, между прочим, мне стало легче.

— Фу, правда! — облегченно рассмеялась Женька. — А я уж испугалась.

Только об одном Ева умолчала, просто постеснялась. Однажды ночью, когда Платон ласкал ее, ей вдруг померещилось, что это не он, а Георгий Иванович и она впервые получила какое-то удовольствие от близости. Платон был в восторге. Именно тогда он и сделал ей предложение. Но ведь это было нечестно и она мучилась сомнениями.

2007 год

— Ну, как успехи? — спросил Олег за завтраком и подмигнул другу, когда Вавочка пошла за сыром.

— Никаких!

— Да ты что? Стареешь, Родька!

В этот момент друзья увидели, что в зал входит Лали с молодым человеком.

— Наш пострел везде поспел, — проворчал Олег.

— Да это ее сын, — улыбнулся Родион.

— Сын? Ты уверен?

— Да. Она мне сама сказала. Черт, какие ноги у нее.

Тут к столу вернулась Вавочка.

— Киска, а ты знаешь, этот красавчик ее сын, — радостно сообщил жене Олег.

— Сын? Не может быть!

— Почему?

— Он ее на руках носит. Буквально.

— Ну и что? Он просто любит свою маму.

— Да? Это ты, Родя, выяснил?

— Я. А что?

— А еще что-нибудь узнал?

— Вавочка, почему она тебя так интересует?

— Если она и вправду его мать, то...

— То что?

— То надо этого парня познакомить с нашей Настей. Красивый, хорошо воспитанный, вон, с мамой отдыхать приехал... Наверняка, дельный... Чистенький, опять же, приличный... Насте понравится... Родя, а кто там отец, не знаешь?

— Знаю только, что он умер.

— Да? Поэтому она все время в черном? А по-моему, носить траур на курорте глупо. Черные шорты, это по-вашему, траур? Знаете, на что это похоже? Есть такая категория баб, которые мужиков на кладбище ищут. Вдовых.

— Вавочка, ты не права, — рассмеялся Родион, — если ты хочешь пристроить Настю за этого парня, тебе надо прежде всего подружиться с его матерью, а не говорить о ней гадости.

— Думаешь, я не понимаю? Но как с ней дружить, когда она задирает нос? Что ж мне, напрашиваться?

— Успокойся, Вавочка, они не москвичи, — вдруг заявил Олег.

— С чего ты взял?

— Я видел, как она давала портье свой паспорт, я не разглядел, чей он, но явно не российский.

— Надо же... Ну и черт с ним. Маменькины сынки не лучший товар на рынке женихов.

— Боже, как ты непоследовательна, Киска.

— Олежек, тебе фруктов принести?

— Два куска арбуза.

— Вавочка, будь другом, захвати мне одну грушу.

— Какие вы наглые, мужики. Нет чтобы даме фрукты принести.

— Ты сама предложила!

— Да, вам лишь бы на шею сесть... — проворчала Вавочка.

— Родька, она тебя отшила? — шепотом спросил Олег.

— Практически, да. Но я не отступлюсь. Я предложил ей дружбу.

— Она согласилась?

— Она усомнилась.

— Но подала надежду?

— Нет.

— Тогда на что ты рассчитываешь?

— На то, что она молодая красивая женщина. И рано или поздно ей понадобится мужик.

— А ты тут и подвернешься? Да?

— Именно.

— А ты так уверен, что мужик ей понадобится как раз во время вашего тут пребывания?

— Нет. Ни минуты.

— Тогда что? Она же живет в другой стране?

— Ничего, я добьюсь своего. Чего бы мне это ни стоило, и где бы она ни жила, хоть в Аргентине.

Тут вернулась Вавочка с фруктами.

— Жрите, захребетники.

После завтрака, она сказала:

— Родь, Олег после завтрака ходит пешком, ты ему не составишь компанию? А то я вчера ногу стерла...

— Да с превеликим удовольствием.

— Вот и отлично. А потом я жду вас на пляже. И займу для тебя лежак рядом с нами.

— Спасибо, благодетельница, — Родион поцеловал Вавочку.

— Старик, мы не договорили... — начал Олег.

— О чем?

— О Лали. Ты что, всерьез втюрился?

— Похоже на то.

— А может, ты просто привык к легким победам, а она тебя отшила?

— Нет. Я был готов, что она меня пошлет... Но в ней есть что-то такое... необычное. Я хорошо знаю баб, чувствую их, что ли, а тут ничего не понимаю... Знаешь, она мне без всякого кокетства, игры, вдруг заявила, что безумно любила покойного мужа и была с ним абсолютно счастлива... И в голосе и в глазах была настоящая боль...

— И что?

— Я вдруг подумал... Не сочти меня сентиментальным идиотом... Мне вдруг захотелось, чтобы когда я помру, обо мне кто-то так сказал...

— Ну, старик, ты и загнул... Чтобы так о тебе сказали, надо прожить с женщиной много лет. А ты вообще закоренелый холостяк. К тому же сердцеед, уверен, многие были бы счастливы доказать тебе свою любовь...

— Тебе меня не понять, Олежек... Мне много раз, очень много раз, бабы клялись в любви... Но чтобы вот так... Никогда...

— Знаешь, бабам свойственно идеализировать покойников, особенно русским бабам. Помнишь Вальку Першину?

— Ну?

— Она двадцать лет прожила с мужем. Он был полное говно. Кидал ее, лажал без конца, ставил иной раз в жуткое положение, а как умер... Просто свет в окне. Чуть у нее что случится, она сразу: вот был бы жив Сева, он бы меня в обиду не дал...

— Ты, Олежек, не понял... Тут все на чистом сливочном масле. И если я сумею ее завоевать, я женюсь на ней. Чего бы мне это ни стоило.

Он говорил так серьезно и проникновенно, что Олегу даже стало не по себе. Очень уж это было не в характере его старого друга.

1987 год

Родители Платона вернулись в Москву. В первый же вечер после вкусного ужина он увел отца в кабинет.

— Пап, надо поговорить.

— Валяй, что ты там опять учудил? — добродушно осведомился Николай Борисович. — Деньги нужны?

— Пап, советскому человеку деньги всегда нужны.

— Думаешь, несоветскому они без надобности? — засмеялся отец. — Сколько?

— Сколько не жалко. Но дело не в том.

— Что-то на работе?

— Нет, пока там все нормально, хотя разговоры всякие ходят.

— Ты меня пугаешь. Неужто жениться надумал?

— Надумал, пап. Она такая...

— Красивая?

— Очень. Ее зовут Ева...

— Ишь ты. Ева... Ну, а родителям поглядеть на будущую сноху не надо?

— О том и речь... Понимаешь, я боюсь, что мама...

— Девчонка из провинции? Жить негде?

— Нет! — возликовал Платон. — У нее своя квартира есть. Двушка, хоть и в хрущобе.

— Что значит, своя?

— Она... сирота, — соврал Платон, прекрасно понимая, что отъезд Евиной матери и отчима в Израиль приведет отца в негодование и здорово напугает.

— Сирота с двухкомнатной квартирой? Но это же почти идеальный вариант. Тогда чего ты боишься? Что твоя Ева не нашего круга? Кстати, сколько ей лет, чем занимается?

— Ей двадцать, учится в Первом Меде.

— А покойные родители кто?

— Отца она не знает, а мать... была художницей откуда-то из глубинки...

— Слушай, Тоник, а у тебя ее карточка есть?

— Да! Вот, смотри.

— Черт побери, хороша! Даже очень. И совсем не вульгарна. Сын, мне твоя девушка нравится. Думаю, и матери тоже глянется. Давай, зови мать. Постой, а ты уже сделал предложение?

— Да. И хотел жениться, не дожидаясь вас, но Ева сказала, что она так не хочет... Что надо познакомиться с родителями...

— Ну надо же... Молодец, девушка. Мне она уже нравится.

— Пап, только она...

— Беременна уже?

— Слава Богу, нет. Просто... Ей тяжело живется, и одета она не очень, если б ты дал еще деньжат...

— А, понял! Святое дело, держи. И купи своей девочке что-нибудь... Правда, я не очень понимаю, что и где здесь можно купить, но она, наверное, знает... Вот, возьми еще. И зови мать

— Спасибо, папочка.

Смотрины были назначены через неделю. Платон позвонил своей бывшей сокурснице, объяснил ситуацию и та сообщила ему координаты одного парня из ансамбля Моисеева, у которого бывают хорошие и модные вещи.

— Ева, в воскресенье мои родители ждут тебя в гости, — с торжеством сообщил ей Платон.

— Да? На смотрины, значит...

— Зачем ты так... Я рассказал им о тебе, показал фотографию... Ты им очень понравилась. Насчет отца я и не сомневался, но даже мама сказала: прелестная девочка, я хочу поскорее с ней познакомиться... И еще... я хочу сделать тебе подарок...

— Какой?

— Купить красивое платье или костюм, что ты сама выберешь...

— Не надо, Тоник.

— Надо.

— Послушай, а ты... насчет моей мамы тоже сказал своим?

— Нет. И совершенно сознательно. Родители люди старого закала, они не поймут, испугаются... Они...

— Нет, Тоник, я так не могу. А вдруг это как-то отразится на карьере твоих родственников? Отца, брата, мало ли...

— Да ты что! Сейчас времена так круто меняются, думаю, через год-другой вообще границы откроют... И сейчас, поверь, никто не станет копаться в документах невестки такого старого заслуженного дипломата. Не до того... Но родители этого не понимают еще. Поэтому...

— Но я не могу врать им.

— Врать ничего не надо. Просто умолчи. И вообще, я люблю тебя, люблю так, что готов порвать с родителями, со всем светом, лишь бы быть с тобой... Даже если они скажут, что не дают своего, так сказать, благословения, меня это не остановит. Да они ничего и не спросят, я сказал, что ты сирота, кто же будет приставать с расспросами? Они тактичные люди. Поэтому просто не говори на эту тему и все.

— Мне это не нравится, Тоник!

— Пойми же, упрямая твоя башка, это умолчание в их же интересах! Если хочешь знать, я говорил с одним парнем из ЦК комсомола, он сказал, что сейчас это проскочит.

— А если нет?

— А если нет, то, в худшем случае...

— Тоник, а давай мы просто не будем регистрироваться, а? Скажем правду, а расписываться не будем. Мало ли с кем живет сын дипломата? В конце концов, дочь за мать не отвечает, правда же? А потом, если все будет так, как ты думаешь, распишемся через год-другой, а?

— Странно... Все девчонки обычно мечтают о свадьбе, о белом платье, а ты...

— Да чепуха все эти платья... Но зато врать не надо будет.

— А может, ты и права? Я не знаю... Но если ребенок?

— Если ребенок... Но я хочу сперва окончить институт, а потом уж...

— Ладно, я поговорю с отцом.

И действительно, вечером он вошел к отцу.

— Папа, есть разговор.

— Денег не хватило?

— Пап, перестань, я же в конце концов работаю, получаю неплохую зарплату, что ты все о деньгах!

— Ладно, сын, я привык, что мальчишкам вечно не хватает денег. Говори, что стряслось.

— Пап, дело в том, что...

...— Ты, значит, родной сын, наврал, а девочка, чужая, не хочет причинять нам неприятностей?

— Да, все так.

— Ситуация, конечно, хреновая! Даже очень. Все эти новые веяния, думаю, долго не продержатся, и дело даже не в том, что органы станут копаться в прошлом этой девочки, возможно, сейчас им не до того, но... Надо же учитывать человеческий фактор!

— То есть?

— Ты думаешь, у меня мало завистников? Да пруд пруди! И уж они обязательно до всего докопаются, можешь не сомневаться. А если этот факт всплывет, меня обязательно турнут. И, скорее всего, просто на пенсию, мне уж шестьдесят один год. А я не хочу. Я еще в силах, я могу пригодиться своей стране...

— Папа, я тебя умоляю... — поморщился Платон.

— Да погоди ты, торопыга! Я сам не хочу, чтобы ты упустил эту девушку. В наши дни такая порядочность редко встречается. Давай-ка мы сделаем так, как она предлагает.

— То есть?

— Вы поженитесь, но без помпы и без регистрации. А незаконные связи моего сына — это его незаконные связи. Вы даже можете жить у нас...

— А как же мама?

— Знаешь что, Тоник? Давай сперва их познакомим.

— И дальше что?

— Если она маме понравится, мы все скажем, и она понравится ей еще больше. Ну, а если не понравится... то мама обрадуется, что вы не будете официально жениться. Но учти, жить вам лучше все-таки будет у твоей Евы, благо есть где.

— Ох, пап, видел бы ты эту квартиру...

— Ничего, ишь барин какой! Да мы с твоей матерью вообще в бараке жили... Ну, сделаем там ремонт, мебелишку какую-никакую подыщем. Нормально, сын. Она готовить-то умеет?

— Еще как! А какие пельмени делает!

Ева понравилась родителям Платона. Даже очень.

— Не ожидала от тебя, Тоник, что ты такую девушку выберешь, — качала головой мама Майя Тарасовна. — Не профурсетка какая-нибудь... И честная... Могла же и промолчать... И еще слава Богу, что не мать у нее еврейка, а отчим.

— Мама! О чем ты говоришь? — закричал прогрессивно настроенный сын.

— Ох, Тоник, я знаю, что говорю. Иногда и половинки еврейской крови хватает, чтобы испортить карьеру.

— Мама, это фашизм!

— Много ты понимаешь, дурачок.

— Да, Томас Манн, кажется, говорил, что фашизм и коммунизм — это враждующие братья.

— Замолчи, болван! — крикнул отец. — Чтобы я этого в своем доме не слышал. Ты не от Евы этого набрался, надеюсь?

— Нет, представь себе, от старшего брата, папочка. Но, вообще-то, у меня и своя голова на плечах есть.

Отец погрозил ему кулаком и ушел спать. Платон был убежден, что отец в душе разделяет точку зрения Томаса Манна, однако долгие годы службы в МИДе отучили его даже думать так, не то что говорить вслух.

Еве родители Платона тоже понравились. Они были ласковы с ней, но дело даже не в этом. Там была семья, настоящая семья, отец, мать, сыновья. Красивая, богатая квартира, стол ломился от вкусных вещей, которых Ева никогда даже не видела. Майя Тарасовна сказала, что официальной свадьбы, конечно, устраивать нельзя, но они дадут денег, чтобы Платон и Ева поехали в августе на Юг, а пока они там будут как бы в свадебном путешествии, Майя Тарасовна сделает ремонт в Евиной квартире.

— Ты молодец, Евка, — заключила подруга Женька. — Как ты проунькала, что они оценят твою честность? Хорошие, значит, люди... Другие даже и слышать бы о тебе не захотели, а эти... Постой, а может, это они от радости, что вы расписываться не будете?

— Может, и от радости... Мне как-то все равно.

— Но теперь ты уж точно будешь как сыр в масле кататься. А то с ног сбиваешься, чтобы с голоду не подохнуть.

— С ног я не сбиваюсь, — усмехнулась Ева. — Я просто сбиваю руки.

Отчим оставил ей в наследство пишущую машинку «Ундервуд», научил печатать слепым методом, и даже подыскал клиентуру. Поэтому каждую свободную минутку Ева сидела за машинкой. За это платили не много, но жить все же было легче. Правда, совсем не было времени. Но это ничего, так даже лучше, некогда думать о Георгии Ивановиче. А вчера пришло письмо от бабки: «Евушка, как ты там? Летом не приедешь? У нас все вроде как было. Только вот сосед мой дорогой, Георгий Иванович, съехал. Помиловка ему вышла, что ли, одним словом, сняли с него обвинение и уехал он к себе в Ленинград. Хороший человек, дай ему Бог. А ты что, с Шуркой поругалася? Она что-то о тебе понасёрки плетет, будто у тебя в Москве полюбовник завелся? Гляди, девка, если эта сучонка не брешет... А куда мать твоя смотрит? Или это Шурка со злости? Очень я, Евушка, беспокоюся. Отпиши мне, как все у тебя обстоит. А то, может, приедешь на каникулы? Остаюсь твоя бабка Варвара».

Георгий Иванович уехал в Ленинград... А мне-то что? Я замуж выхожу... Ей вдруг стало грустно, тоска навалилась. И что я за дура? Меня такой парень любит и женится на мне, пусть и неофициально, да разве это имеет значение? И семья у меня будет, самая настоящая семья, и будущая свекровь уже начала обо мне заботиться. Надарила шмоток заграничных... И ремонт собирается делать и вообще, все у меня хорошо... Просто замечательно, я везучая, о таком женихе любая девчонка может только мечтать... Все равно, Георгию Ивановичу я сто лет не нужна. Он серьезный, взрослый, он прошел такое... ему не до глупой студенточки...

И Ева села за учебники. На носу сессия.

2007 год

Возвращаясь с пляжа, Лали всегда сворачивала с дорожки и шла через лужайку, чтобы войти в номер со стороны веранды. Идти босиком по траве так приятно! И вдруг на плетеном столике она увидела крупную темно-красную розу в узкой вазочке простого стекла. Роза была свежайшая, с капельками воды на лепестках и сильно пахла. Петька постарался, с нежностью подумала она. Он такой заботливый... После смерти отца, которого он боготворил, все время старается быть ко мне внимательным и нежным...

Она приняла душ, переоделась, вышла босиком на лужайку и развесила купальник на ветвях старой оливы, сейчас пригретых солнцем. Потом взяла в руки вазочку и внесла в комнату. И когда это он успел?

— Лали? Ты дома?

— Петька, привет! Спасибо за розу, я все оценила!

— Мам, ты что, какая роза?

— Вот!

— Мам, это не я, честное слово! Я, конечно, кретин, мог бы и сообразить, но, увы...

— Петька, не ври!

— Мам, я не вру!

— Но тогда откуда... О, это, наверное, от гостиничной администрации... Скорее всего, судя по вазочке.

— Нет, Лали, это от поклонника.

— От поклонника? В вазочке? Нереально. К тому же тут у меня нет поклонников.

— Есть. Тот дядька, с которым мы из Керкиры ехали. Он на тебя запал, это видно невооруженным глазом. Кстати, мам, я хотел давно сказать, просто боялся трогать эту тему... Мам, если ты заведешь роман или, еще лучше, выйдешь замуж, я буду только рад. Учти это. Никакой ревности или обиды за папу... Ты молодая, красивая, что ж тебе пропадать?

— Петенька, родной, это глупости. Я так любила папу, я вытащила в жизни такой счастливый билет, что... Я невольно любого буду сравнивать с папой и любой проиграет в сравнении с ним. Любой.

Он подошел, обнял ее.

— Мам, но что ж тебе, в монастырь уйти? Ладно, замуж не хочешь, я понимаю, но роман хоть заведи...

— Тебе-то это зачем?

— Мам, я хочу видеть, как у тебя блестят глаза...

— А что? У меня такой несчастный вид?

— Не несчастный, нет... Но... безжизненный что ли... Хотя тебе никто не дает твоих лет, а меня принимают за твоего любовника.

— Уже нет, — улыбнулась Лали.

— Откуда ты знаешь?

— Я сама призналась, что ты мой сын.

— Кому призналась?

— Тому самому дядьке. Он предложил мне послать куда подальше юного любовника, который вечером оставил одну несчастную стареющую женщину. Пришлось признаться.

— А вместо меня предложил себя?

— Не впрямую, но намекнул.

— Точно, это от него роза.

— С вазочкой? Чушь.

— А я вот сейчас узнаю.

Он заметил идущую мимо горничную с охапкой пледов. Выскочил к ней и заговорил о чем-то. И через минуту вернулся.

— Мам, она никаких цветов в номер не ставила!

1987 год

Ева ехала вниз по эскалатору. И вдруг сердце подскочило к горлу и ухнуло в пятки. На соседнем эскалаторе поднимался Георгий Иванович! На мгновение они встретились глазами. Он узнал ее... Но она ехала вниз, а он вверх. Их пути опять разошлись? НЕТ, я так не могу! Ева кинулась вниз, растолкала людей, ждущих возможности ступить на эскалатор, и стала продираться сквозь стоящих слева и справа пассажиров. Господи, только бы он не ушел, только бы не ушел!

— Девушка, вы чего пихаетесь?

— Вот оглашенная!

— Куда прешься, лярва?

— Дура ненормальная! — неслось ей вслед. Но вот она выбежала в вестибюль, озираясь по сторонам. Его не было. Ушел! Она выскочила на улицу и сразу увидела его. Он стоял на ветру, пытаясь раскурить сигарету. От радости, что он, по-видимому, ждет ее, она вдруг обессилела. Он еще не видел ее, борясь с непослушными спичками. Руки у него дрожали. На нем была потертая до белизны коричневая кожаная куртка, вылинявший голубой свитер. Он был хорошо выбрит, седые волосы пострижены коротким ежиком.

— Георгий Иванович! — собралась с духом Ева. — Георгий Иванович!

— Ева?

— Вы в Москве? Бабушка писала, что вы уехали в Ленинград...

— Ева, но ты ведь куда-то ехала...

— Ну и пусть... Неважно...

— Ты бледненькая...

— Ну и что? Я плохо выгляжу? Я вам не нравлюсь?

— Ну что ты... Ты красавица...

— Вы кого-то ждете здесь? — вдруг осенило ее.

— Да. Жду. Товарища одного. Ева, вот что... Дай мне свой телефон и скажи, когда будешь дома.

— Ладно, я уйду... Не буду вам мешать... Но я знаю, вы не позвоните. Прощайте, Георгий Иванович.

— Ева! Постой... Не уходи. Я с товарищем только на минутку встречусь, а потом... Потом поговорим, хорошо?

Он вдруг увидел, как она расцвела от его слов. Взял ее за руку. Обоих как будто ударило током.

— Ева, Ева... — бормотал он, заворожено глядя ей в глаза.

Значит, он не с женщиной тут встречу назначил! Он не хочет, чтобы я уходила...

И в самом деле, через несколько минут к нему подошел какой-то мужик.

— Иваныч, здорово!

— Здорово.

Они обнялись.

— Прости, Иваныч, со временем зарез, после поговорим. Вот, держи, — мужик передал Георгию Ивановичу какой-то конверт.

— Спасибо. Завтра увидимся.

— Иваныч, это что, дочка твоя?

— Нет, — хрипло засмеялся тот. — Это моя... невеста.

Тот схватился за голову.

— Прости, Иваныч! Ну ты даешь! А невеста — чудо!

Ева обомлела. Или ей все это причудилось? Не мог же он и в самом деле назвать ее невестой...

— А свадьба-то когда?

— Еще не решили.

— Ну, ладно. Поздравляю. Пока!

— Ева! Ева!! Что с тобой?

— Зачем вы так... шутите?

— Прости, сам не знаю, как с языка сорвалось.

Значит, он так шутит? Ну и ладно, ну и черт с ним! Зачем он мне, у меня вон Платон есть, молодой, красивый, из хорошей семьи. А этот... Дурак, кто ж так шутит? Ева едва сдерживала слезы. Но он держал ее за руку и не было сил вырваться.

Он молчал, глядя на нее как-то исподлобья, словно она представляла собой опасность, словно он не знал, чего от нее ожидать в следующую минуту.

— Ева, смотри, дождь начинается, бежим скорее!

— Куда?

— Куда-нибудь, главное под крышу.

Ближе всего был вестибюль метро, но он почему-то потащил ее к кинотеатру «Баррикады». Там показывали мультики.

— Хочешь, пойдем, а? Не все ли равно?

Как раз прозвенел первый звонок. Он купил билеты на последний ряд.

— Хочешь мороженого?

— Нет, спасибо.

— А пирожное?

— Тоже нет.

Тогда он купил шоколадку.

— Вот, держи!

— Спасибо. Вы любите мультики?

— Нет, я думал ты любишь...

— Я люблю... и мультики и шоколадки. Вот...

Она разломила шоколадку и протянула ему половинку.

— Зачем? Это маленькие девочки любят шоколадки.

— Я не маленькая! — вдруг смертельно обиделась Ева. Он считает меня ребенком. Ничего не понимает, дурной!

— Прости, прости, ты, разумеется, совсем взрослая, а я просто старый дурак... кажется...

— Я, если хотите знать, скоро выхожу замуж, — выпалила она, сама не зная зачем. И тут же испугалась.

А он вдруг побледнел. И охрип.

— Замуж? Когда?

— Скоро...

— Ты его любишь?

— Нет. Я люблю... вас, Георгий Иванович. Но это не имеет значения. Я понимаю, что не нужна вам тыщу лет... Вы вон в Москве, а мне даже не позвонили... И не надо говорить, что не знали телефон. Была б я вам нужна, спросили бы у бабушки...

Он стоял столбом. Давно прозвенел звонок, все зрители ушли в зал, они одни остались в фойе, только буфетчица с любопытством на них поглядывала.

— Ладно, простите меня... Я пойду. Прощайте, Георгий Иванович.

Он вдруг молча протянул руку, дотронулся до лица, залитого слезами.

— Ты не пойдешь за него, ты пойдешь за меня. Поняла?

Она смотрела на него сквозь слезы. Смысл его слов медленно доходил до ее сознания.

— Поняла? — переспросил он. И погладил ее по щеке.

Она вдруг потерлась щекой о шершавую ладонь.

— Нет. НЕ поняла. Повторите еще...

— Я люблю тебя, дуреха, с первого взгляда...

— И я... с первого...

— Только не пойму, что ты-то во мне нашла?

— Я? Всё!

Они стояли и смотрели друг на друга. Просто стояли и смотрели, но так, что буфетчица не выдержала.

— У нас тут, между прочим, детский кинотеатр, граждане. Идите отсюда подобру-поздорову!

— А вам чего, завидно? — сама себе удивляясь, спросила Ева.

— Есть чему завидовать, дура ты. Он тебя поматросит и бросит, он ушлый какой, сразу видать, проходимец! Уголовная морда!

— Слушай, тетка, замолкни! В детском кинотеатре таким мегерам не место. Пошли отсюда! — он взял Еву за плечи.

Дождь между тем перестал. Выглянуло солнышко.

— Ну, куда теперь? Может, в зоопарк? Сто лет в зоопарке не был.

— Нет, не хочу! Давайте лучше просто... поедем ко мне.

— К тебе? А ты понимаешь...

— Я все понимаю...

— Но как же твоя мама?

— Мама? Знаете, где сейчас моя мама? В Риме, ждет отправки в Америку.

— То есть как?

— Они выехали в Вену, ну, как будто в Израиль, а оттуда в Италию...

— Они? Мама с мужем, да?

— Да.

— А Варвара Семеновна не в курсе?

— Нет. Мама запретила ей говорить... Она несколько раз меняла фамилию... и в анкете написала, что детдомовская... Ой, только вы никому... — испугалась вдруг собственной откровенности Ева. Она была в таком смятении!

— Постой, а как же ты?

— А что я?

— На что же ты живешь? На одну стипендию?

А Платон ни разу не спросил ее об этом.

— Нет, мне отчим пишущую машинку оставил и печатать научил...

— А жених твой кто?

— Вы. Или вы опять пошутили?

Он вдруг счастливо рассмеялся.

— Ева, ты только что узнала, что я твой жених, я, кстати, тоже, но ведь до этой минуты у тебя был другой...

— Он — был и всё.

— О, да ты девушка с характером, вся в бабку. Ох, Ева, боюсь, Варвара Семеновна не обрадуется...

— А вы рады?

— Честно? Я в смятении...

— Но тогда ничего не надо.

— Какая ты...

И тут снова полил дождь. Он сорвал с себя куртку, накинул на плечи Евы и вдруг втолкнул ее в подворотню.

— Ой, вы совсем промокли...

— Ева, я люблю тебя... Я боялся этого... думал, зачем я ей нужен, она девочка, красавица, у нее все впереди... У нее жених, мне бабка твоя сказала... Я дурак, да?

— Да, еще какой дурак... Поцелуйте меня, это будет как в кино...

Он пристально смотрел на нее, и она опять увидела, как из голубых его глаза стали черными. Она дрожала, то ли от предчувствия, то ли от промозглой сырости.

— Ева... — хрипло проговорил он, — что ты со мной делаешь... — И поцеловал ее.

Она не выдержала. Обняла его за шею, прижалась к нему. Тут уж и он не выдержал, сдавил ее так, что она едва не задохнулась.

— Поехали к тебе, — прошептал он. — Я больше не могу... Это далеко?

— Метро «Филевский парк».

— О господи! Что ты со мной делаешь? Я как Адам перед грехопадением... А ты и Ева и змей-искуситель в одном лице.

Дождь между тем зарядил не на шутку.

— Стой тут, я поймаю такси.

— Куртку возьмите!

— Ты же замерзнешь...

— Я? Замерзну? Нет! А если замерзну, вы меня сумеете согреть, правда?

— Да что ж ты со мной делаешь? — простонал он и, накинув куртку, выбежал на улицу.

Ева стояла, закрыв глаза и вся дрожа. Вот оно, счастье, совсем рядом... Я люблю его, люблю, и он меня любит, и нам должно быть хорошо вместе, скорей бы он поймал машину... Скорей бы сесть с ним рядом, прижаться и ни о чем не думать.

— Ева!

Он стоял рядом с ветхой бежевой «победой» и держал открытой заднюю дверцу. Она юркнула на сиденье, а он захлопнул дверцу и сел рядом с шофером. От обиды она чуть не взвыла.

— Ева, возьми куртку.

Она открыла глаза. Он обласкал ее взглядом. И она поняла, что он просто побоялся сесть с ней рядом. Ничего, мы скоро приедем... Я свяжу ему новый свитер, в таком нельзя уже ходить... А у меня есть хорошая эстонская шерсть... Если бы знать, что я его встречу, я бы обед сготовила... Он, наверное, голодный... Ничего, в морозилке еще остались пельмени, хорошо Тоник сейчас в Карелии в байдарочном походе, не все съел, он так любит мои пельмени... Тоник... Ой, а как же я ему скажу, что у меня другой мужчина? Нет, не так, у меня мужчина, а он... мальчик еще, избалованный столичный мальчик. И я совсем его не хочу... Я хочу этого седого, старого, в заношенном свитере, с грубыми шершавыми руками...

Наверное, впервые в жизни Ева чувствовала себя спокойно и защищенно. Казалось бы, это была просто безумная страсть, с обеих сторон, но она твердо знала, что нашла мужчину своей жизни, инстинкт ее не обманул, он был для нее всем, этот едва знакомый человек. Она знала — он ее не предаст, не бросит, защитит от всех бурь, он даже во сне держал ее за руку, а она смотрела на него, задыхаясь от любви. Наверное, такое редко бывает, во всяком случае она никогда ничего подобного не слышала ни от кого, хотя на практике в гинекологическом отделении больницы вдоволь наслушалась любовных историй. Георгий Иванович успел сказать ей, что завтра должен вернуться в Ленинград, на несколько дней, чтобы уладить дела и перебраться к ней, в Москву. Он сказал, что теперь не отпустит ее никуда. И она свято ему верила. Такой человек просто не может ее обмануть. Сначала она хотела поехать с ним — ну как можно расстаться? — однако потом решила, что не будет виснуть на нем, и к тому же у нее лежала диссертация одного дядьки, которую надо сдать на той неделе. За диссертации платят лучше, чем за обычные тексты, по целому рублю за страничку, против двадцати копеек. Есть разница? И еще за это время она должна пойти к матери Тоника и сказать ей, что не нужно делать ремонт у нее в квартире и заодно вернуть все подарки. А главное, успеть связать Георгию Ивановичу новый свитер... Он что-то замычал во сне, она прижалась губами к его плечу. Как странно, мы с первого взгляда оба поняли, что созданы друг для друга... Ну он, понятно, взрослый многоопытный мужчина, но я? Весь мой опыт это Тоник... А я сразу поняла, что хочу только этого мужчину, нуждаюсь только в нем. Говорят, по-настоящему женщины начинают понимать толк в любви годам к тридцати, но это ерунда, все зависит от мужчины... Если он ТВОЙ, ты сразу все поймешь и почувствуешь...

Георгий Иванович стоял в тамбуре плацкартного вагона, куря одну сигарету за другой. Что я наделал, старый дурак? Какое имел право сойтись с этой девочкой, юной, прекрасной, доверчивой? Ну и что же, что я люблю ее? Что при одной только мысли о ней, у меня перехватывает дыхание? Я испорчу ей жизнь... Она говорит, что любит меня... Она романтичная девочка, ей кажется, что я невесть какой герой... Словом, декабристка... «Покоен, прочен и лего́к на диво слаженный возок...» — припомнились вдруг строки Некрасова. «Сам граф-отец не раз не два его попробовал сперва». Смешно, ей богу. У Евы нет графа-отца, ничего... Она одна, хрупкая, нежная... Но я не могу, не имею права... У нее есть какой-то там жених, из благополучной семьи, а у меня ни кола, ни двора, ни работы... ничего. Только судимость по политической статье... Нет, я не имею права... Не имею права сбежать от нее, от ее любви. Я что, старая развалина? Я разве не мужик? Или мужик только в постели? Неужто я не найду работу? Я же многое могу и умею и буду ей опорой... Кто знает, как сложится ее жизнь, если я сбегу от нее? Она, конечно, не выйдет за того парня, останется совершенно одна... Она так красива и соблазнительна, что мужики будут виться вокруг стаями, а она ведь цельная натура, и любит... меня любит... Я нужен ей... Я буду защищать ее от этой жизни. Я смогу... Сейчас по вечерам в Москве неспокойно... Она ходит одна... каждый может обидеть... Я люблю ее... Сразу, как увидел, с ума сошел... Но и она тоже... И нам так хорошо вместе... Он вспомнил, как она стояла в подворотне, когда он позвал ее в машину. Какие у нее были при этом глаза... А утром, когда он вышел из душа, она сидела, уткнувшись лицом в его старый, не первой свежести свитер, как будто вдыхала его запах... Нет, я ее не отдам никому, она моя и хочет быть моей, значит, ее желание для меня — закон. Ну а разлюбит, что ж... так тому и быть, но я хоть урву у жизни свой кусок счастья... Судьба мне послала ее в момент, когда я смогу начать все заново и не надо противиться подаркам судьбы, если тебе уже пятый десяток. И ты к тому же никакими обязательствами не связан. Хватит с меня политики, хватит идей, теперь моя жизнь будет подчинена одной идее — счастье любимой женщины... И нам обязательно нужен ребенок... Вот приеду, отремонтирую ее крохотную квартирку, и пойду куда-нибудь на стройку. Хотя сейчас, кажется, ничего не строят. Неважно, пойду в такси, в метро, в троллейбусный парк... Мужик с руками и головой найдет себе дело. А она пусть все-таки окончит институт, а уж потом родит мне сына... Пусть у нее будет профессия. И будем жить... Он вспомнил ее обалдело-счастливое лицо в момент, когда он довел ее до высшей точки близости... И шепот: «так не бывает, Иваныч!»

2007 год

— Мама, ты опять плакала?

— Что ты, Петруша, даже и не думала.

— А почему глаза красные?

— Ныряла много.

— Мама, ты же сама учила меня, что врать нехорошо.

— Ну прости, прости, ты же не можешь не понимать...

— Я понимаю, мамочка. Но, наверное, уже надо сказать...

— Что сказать?

— Мам, ты помнишь, мы с папой ездили в Норвегию рыбачить?

— И что? — с замиранием сердца спросила Лали.

— У нас тогда был один разговор...

— О чем?

— О любви...

— О!

— Но в общем-то мы говорили о тебе. Папа... он говорил, как любит тебя всю жизнь...

— Я знаю...

— И что ты тоже любишь его... Мама, ты только меня сейчас не перебивай, мне и так трудно...

Она молча кивнула.

— Он рассказал, как встретил тебя... И еще много всего... И чего тебе стоило мое появление на свет и вообще... А потом вдруг говорит: «Знаешь, сын, я самый счастливый мужик на свете. Но я прошу тебя, когда я умру...» Я, конечно, начал вопить, что он еще молодой и здоровенный, а он сказал: «Я вовсе не собираюсь помирать, но такой разговор может еще долго у нас не случиться, просто жизнь закрутит, а я хочу, чтобы ты знал: когда я умру, мама будет еще молодой и красивой. Она будет горевать, будет всех мужчин сравнивать со мной, и в результате останется одна. А это неправильно. Ты дай ей погоревать, а потом... потом объясни ей, что нельзя тратить время на тоску по ушедшему. Я хочу, чтобы она устроила свою жизнь... Чтобы встречалась с мужчинами... скажи, что я благословляю ее на это... что она ничуть не оскорбит мою память, если станет жить полной жизнью, понимаешь?» Ну, я понял, хоть и расстроился ужасно. Даже ревел втихаря. Я подумал, что он болен... Но он продолжал жить как и раньше... Да и вскрытие ничего такого не обнаружило, только острую сердечную недостаточность. Но он, видно, предчувствовал это. Вот и всё, мамочка, что я хотел тебе сказать.

Прекрасные глаза Лали были полны слез.

— Петька, признайся, почему ты именно сейчас завел этот разговор?

— Мне показалось, что настал момент... И еще, мам, хватит носить траур.

— Это не траур... Просто я люблю черный цвет...

— Значит, хватит носить черный цвет. Тебе безумно идет бирюзовый, купи себе хоть бирюзовую майку, что ли... Для разнообразия. И еще... Я знаешь почему заговорил... Этот твой сосед, из Москвы, он клевый дядька, и он от тебя без ума...

— Петька, но это же чушь... Просто я ему приглянулась на курорте. А он, мне, кстати, нисколько. К тому же мы живем в Германии, он в России... Да и вообще, наивно думать, что ты рассказал мне про разговор с папой и я сразу же прыгну в постель к первому встречному... Наоборот, милый ты мой, я еще больше буду любить твоего отца и тосковать по нему. Никто и никогда не будет любить меня так как он... Тогда зачем?

— Прости, мама, я дурак! Слишком поторопился... Не надо было пока говорить об этом... Папа, наверное, имел в виду другое... Если бы ты встретила кого-то, но боялась бы оскорбить память отца... Прости, прости!

— Да ничего страшного... Просто немножко глупо в такой ситуации... — горько улыбнулась она. — Но это простительно в твоем возрасте.

Она обняла сына, поцеловала.

— А все-таки хорошо, что ты мне это рассказал. Это значит, что ты сын своего отца. И в моей нынешней жизни это, наверное, главное. Ну все, хватит пафоса, мы в конце концов на курорте, тут пафос как-то неуместен. Беги, купайся, играй в пинг-понг, занимайся своими делами. А я обещаю больше не плакать. И благодарить судьбу за то, что у меня был такой муж и есть такой сын. Вот, я опять сбилась на пафос. Короче, катись отсюда.

— А ты?

— Я не пропаду.

— Может, пойдем обедать к Керкире?

— Иди один, я даже думать о еде сейчас не могу. А хочешь, возьми машину, поезжай куда-нибудь.

— Да нет, я схожу пообедаю, вернусь и мы с тобой сыграем в пинг-понг. Тут хорошие столы.

— Если не будет ветра.

— Ладно, если не будет ветра.

В десяти минутах ходьбы от отеля, у самой дороги находился маленький ресторанчик «Керкира».

Поначалу все приезжие думали, что он назван так в честь столицы острова, но на самом деле Керкирой звали хозяйку, добродушнейшую крашеную перекисью женщину лет сорока пяти. У нее всегда было вкусно, уютно и очень недорого, а потому немногочисленные столики никогда не пустовали. Петя был в восторге от тамошней еды, особенно ему нравился белый хлеб, который хозяйка ставила на стол горячим. От хлеба шел такой аромат, что кружилась голова и текли слюнки. Петя уже заранее предвкушал, как намажет маслом ломтик. Но как назло все столики были заняты.

— Петя! — окликнул его кто-то.

— Здрасьте, Родион Николаич! Вы один? К вам можно?

— Конечно, садись. Очень рад, одному обедать тоскливо.

— Спасибо. А где же ваши друзья?

— Поехали в город, а мне неохота. Они будут таскаться по магазинам. Я бы им только мешал. А где же твоя мама?

— У мамы нет аппетита.

— Твоя мама удивительно красивая женщина.

— Да. Это правда, — с гордостью отозвался Петя.

Оба смущенно замолчали.

Первым преодолел смущение Родион Николаевич.

— Петя, скажи, вы живете в Германии?

— Да. Я в Германии родился.

— Однако отлично говоришь по-русски.

— Да, отец настаивал, чтобы я дома всегда говорил по-русски.

— А ты был в России?

— Нет, ни разу, хотя очень хотел. Но отец говорил: вырастешь, поедешь сам.

— Разве ты еще не вырос? — улыбнулся Родион Николаевич. — Приезжай в Москву, знаешь, какие у нас девушки? Нигде больше таких нет.

— Да, наверное, если судить по маме...

— Петя, а твой отец русский?

— Наполовину, а наполовину немец, но родился и вырос в России.

— А ты учишься?

— Да, в техническом университете.

— И кем собираешься быть?

— Собираюсь строить мосты, как отец.

— О, серьезная профессия.

— А вы кто по специальности?

— Я журналист. А мама? Мама тоже из России? И тоже давно не была там?

— Да...

— Петя, ты не удивляйся, что я спрашиваю... Мне... мне ужасно нравится твоя мама...

— А я заметил, — широко улыбнулся Петя.

— Тебе это неприятно?

— Наоборот. Мама осталась одна, ей плохо. Знаете, каких трудов мне стоило вытащить ее сюда... Она любит теплое море... Они с отцом при первой же возможности уезжали куда-нибудь к теплому морю... Родион Николаевич, это вы подарили маме розу в вазочке?

— Я, — покраснел вдруг Родион.

Хороший мужик, подумал Петя.

1987 год

Платон ворвался в квартиру веселый, заросший бородой, загорелый.

— Мама! Мамочка, я вернулся!

— Ох, Тоник, какой ты красивый!

— Мам, я голодный, как сто волков!

— Ступай в душ и приходи на кухню.

Через десять минут он уже уплетал приготовленный матерью завтрак, весело сверкая глазами. Мать сидела напротив, подперев рукой щеку, и с грустью глядела на своего любимчика. У него вдруг кусок застрял в горле.

— Мама, что-то случилось? С отцом?

— Нет-нет, с нами все в порядке... Тоник, я хочу сразу тебе сказать... Чтобы... Одним словом, на днях приходила Ева...

— Ева? Приходила к тебе? Она что, залетела? — вдруг испугался он.

— Нет, Бог миловал.

— У нее что-то стряслось?

— Тоник, ты можешь выслушать, не перебивая?

— Слушаю, мама.

— Тоничек, она сказала, что... Что у вас ничего не получится... Что она... Что у нее другой...

— Что за бред? И почему об этом надо сообщать тебе? Ничего не понимаю!

— Она принесла все мои подарки назад. Поблагодарила за доброе отношение, сказала, что ничего не нужно, ни ремонта, ни поездки в Крым... Однако, вполне порядочная девочка...

Платон с досады стукнул кулаком по столу, да так, что фарфоровая крышка от масленки подпрыгнула и слетела на пол.

— Тоник! — поморщилась мать.

— Извини, мама, но я не понимаю...

— Чего ты не понимаешь? Что девушка влюбилась в другого? Такое случается, сын. Правда, я не понимаю, какого рожна ей надо? Мы хорошо отнеслись к ней, ты молодой, красивый, перспективный, из состоятельной семьи... И означает ее поступок только одно — она просто дура. А у меня, честно говоря, камень с души свалился. Все-таки мать в Израиле... Как-то мне спокойнее стало. А девушку ты себе в два счета найдешь. Только уж постарайся выбрать из нашего круга, меньше проблем. И не вздумай впадать в депрессию, твоя Ева того не стоит.

— Так я и знал... не надо мне было ехать с ребятами...

— Тоник, что за глупости, если она нашла другого?

— Но почему, мама?

— Тоничек, ну откуда же мне знать? Может, он в постели больше ей подходит...

Платону кровь бросилась в лицо. Ничего хуже мать сказать не могла. Ревность, обида, оскорбленное чувство собственника буквально душили его.

— Нет, мама, я не верю! Тут что-то не то... И я это выясню! Прямо сейчас!

— Тоник, это, конечно, твое право, но не советую!

— Мама, я уже большой мальчик! И я хочу понять!

— Тогда сбрей бороду. Без бороды ты куда лучше!

— Думаешь?

— Уверена!

По дороге к Еве Платон решил, что сделает вид, будто ничего не знает. Просто заявится к ней без предупреждения. Пусть она сама ему все скажет, а то мало ли... Он вдруг заподозрил родителей в заговоре против Евы. Мол, он гордый и не поедет дознаваться... Что-то подобное они проделали когда-то со старшим братом. Недаром тот ушел из дому и скитается невесть где... Но он не позволит... Хотя мама ведь не возражала, когда он заявил, что поедет к Еве. А может, они сами подсунули Еве какого-то парня и тот сумел ее отвлечь? В их кругу подобные штуки практиковались. Высокопоставленные мамаши и папаши часто ничем не брезговали, чтобы не допустить мезальянса... Он вспомнил Инку, одноклассницу, которая влюбилась в сына простого шофера. Кончилась история тем, что паренька спровоцировали на драку, а потом посадили на три года. Инка билась головой об стенку, рыдала, потом выскочила замуж за сына посла, а через год покончила с собой, выбросилась из окна... Подходя к подъезду Евиной пятиэтажки, он был уже уверен в правильности своей догадки. Но нет, дорогие предки, со мной этот номер не прохиляет! Взбежав на третий этаж, он сразу увидел, что дверь квартиры приоткрыта. Оттуда пахло краской.

— Ева! Евочка, я приехал!

В крохотную прихожую выглянул немолодой мужик в шапке из газеты на седой голове.

— Вы к кому? — осведомился он, как-то весело глядя на Платона.

— К Еве. Она дома?

— Нету ее.

— А где она?

— По делам ушла. Мне она не докладывается.

— Отец, а ты что тут делаешь?

— Ремонт, сынок, сам что ли не видишь?

— Да вижу... А я могу подождать?

— А где тут ждать? Вон разгром какой... Да и вообще, откуда я знаю, кто ты и откуда.

— Я Евин жених.

— Ах жених? Странно. Вообще-то у нее другой жених...

Платон побледнел.

— Другой? — упавшим голосом переспросил он.

— Другой, другой.

— А ты откуда знаешь?

— А я, сынок, родственник жениха-то... А что, тебя в известность не поставили? Уж извини, сынок...

— Сука! — выдавил Платон и опрометью бросился вон из квартиры.

Сумасшедшая девчонка, предпочла меня этому красавцу. Счастье и безмерная гордость переполняли Георгия Иваныча.

— Жень, ты будешь у меня свидетельницей?

— Свидетельницей? На свадьбе? — ошалела Женька.

— Ну да!

— Буду, конечно, буду! Слава богу, Ева! А где свадьба-то? В «Праге»? Ох, надо чего-то с платьем придумать, а то там такая публика будет, может, и я отхвачу себе богатенького, — заверещала Женька, только вчера вернувшаяся из Херсона, где гостила у родственников.

— Жень, никакой свадьбы...

— Как это?

— Денег нет.

— А родичи что, такие жлобяры?

— Жень, ты даже не спросила, кто жених, — засмеялась Ева, страшно довольная произведенным эффектом.

— Как это? Разве не Платон?

— Не-а.

— Ну ты даешь! А кто же?

— Георгий Иванович.

— Какой Георгий Иванович? — обалдело переспросила Женя.

— Помнишь, я зимой к бабке ездила?

— Тот зэк что ли?

— Именно.

— Мама родная! Ты совсем спятила? Он же старый и бедный, сама говоришь... Ева, ты вообще-то в своем уме?

— Женька, я такая счастливая! Я так его люблю и он меня...

— Ну ни фига себе... А его что, отпустили из ссылки?

— Да.

— Дела...

— Женька, ты не представляешь, какой он...

— Ты с ним спишь?

— А то!

— И как?

— Жень, я даже вообразить себе не могла, что так может быть... С Тоником я просто терпела и все, а с Иванычем...

У Евы сделались такие глаза, что Женя невольно вздрогнула, словно увидела что-то неприличное.

— Но он же старый!

— Ха!

— И вы чего, заявление уже подали?

— Да! И он уже переехал ко мне... Из Ленинграда. И сейчас делает ремонт...

— Сам?

— Да, у него золотые руки, он все умеет...

— Я уж вижу по глазам, что все умеет, особенно в койке, да?

Ева залилась таким румянцем, что Женька даже смутилась.

— Что, так классно трахается? — едва слышно прошептала она.

— Я не буду про это говорить! — вдруг заявила Ева. — Это никого не касается.

— Ну ты и свинюга!

— Какая есть! — отрезала Ева. — Короче, ты будешь свидетельницей?

— Конечно буду! И что, совсем ничего праздновать не станете?

— Нет! Мы сразу к бабушке уедем! Поживем там недельку и домой.

— Да, Евка, надо же как бывает...

— Ты о чем?

— Был у тебя жених, молодой, красивый, богатый, в Крым собирались... А теперь старый, бедный и в глушь... Бывает, но редко...

— Я люблю его.

— Вот я и говорю... А когда свадьба-то?

— Девятнадцатого. А уедем двадцатого.

— А учиться-то дальше будешь?

— Конечно. Иваныч первого на работу выходит. На стройку.

— Ошизеть! Тоник где работает? Напомни!

— Да иди ты! — засмеялась Ева. — Я, Женька, самая счастливая на свете. А ты все Тоник, Тоник... Не нужен он мне тыщу лет.

До свадьбы оставалась неделя. Ремонт в квартире был окончен. За две недели Георгий Иванович сотворил настоящее чудо. Все сверкало свежей краской и лаком. Ева сшила новые занавески из пестрого ситчика, большой рулон которого лежал на антресолях, купленный когда-то давно матерью. Из него же Ева сделала подушки на старенькие стулья, скатерку на обшарпанный стол. Ах, как ей нравилось ее жилище! Но главное — Георгий Иванович! Он словно сбросил с себя какой-то груз. Распрямились плечи, голубые глаза сверкали весельем. Это был совсем другой человек. А уж как похорошела сама Ева!

Но однажды, за пять дней до свадьбы, она затеяла большую стирку, благо накануне включили, наконец, горячую воду. В крохотной ванной было уже нестерпимо жарко, Ева вдруг пошатнулась и едва не упала. Голова закружилась, к горлу подступила тошнота. Ее вырвало. После этого стало легче. Неужто залетела? Она перевела дух. Ох, некстати! Надо завтра же сбегать к врачу. Если бог даст обойдется, нужно во что бы то ни стало поставить спираль. Иванычу она ничего пока не сказала. Да и не может этого быть. Рано еще.

На другой день она пошла в женскую консультацию.

— Поздравляю, вы беременны, — сказала старая врачиха.

— А какой срок?

— Примерно десять недель.

— Не может быть...

— Дорогая моя, я как правило, в таких вещах не ошибаюсь.

Ева была в отчаянии. Это ребенок Платона...

— Пожалуйста, напишите мне направление на аборт!

— Начинается! А ты, дуреха, понимаешь, что первый аборт это опасно?

— Для кого? Для меня? Ну и черт со мной! Да не нужен мне ребенок от этого...

— У тебя теперь другой, что ли?

— Да, другой, я люблю его...

— Ах, девочка, что ж ты так быстро-то всё? Один, другой. Первому тоже небось по любви давала?

— Доктор, пожалуйста, я вас умоляю... У меня в пятницу свадьба...

— Ладно, вот тебе направление, но уйди с глаз долой. Надоели вы мне. Даете направо и налево, а потом канючите тут...

— Спасибо, спасибо вам, — заливаясь слезами пролепетала Ева.

По дороге к дому она лихорадочно думала, как же ей быть, под каким предлогом лечь в больницу? Там, конечно, долго держать не будут, хотя кто знает... На обезболивание у нее денег нет... Ничего, вытерплю, хотя, говорят, боль адская, но другие же терпят... А как неохота врать...

Слезы душили ее. Она уже подходила к дому, когда кто-то схватил ее за плечо.

— Попалась!

Иваныч. Веселый, радостный.

— Ева! Что случилось, почему ты плачешь? Девочка моя, что с тобой? Идем скорее, что на улице рыдать? Пошли! — Он потянул ее к подъезду. И только закрыв за собой дверь квартиры схватил в объятия.

— Ева, маленькая моя, что? Тебя кто-то обидел? Что стряслось? Ну скажи мне, я помогу, ну, хватит плакать. А то я тоже начну реветь, куда это годится?

— Иваныч, я не знала... ей богу, только вчера первый раз заподозрила... я не хотела... Я сделаю аборт, только не бросай меня, я тебя так люблю, я без тебя умру... У меня вот и направление уже есть... Не беспокойся, я ж не виновата, что встретила его раньше... А люблю тебя одного...

Наконец до него дошел смысл сказанного

— Ты что, беременна?

— Ну да. Но...

— От него беременна?

— Да, но...

— Ну вот что... Никаких абортов. И никакого Платона. Это будет наш ребенок, мой, понимаешь? И я клянусь, что буду любить его, как своего. Дело ведь не в том, кто биологический отец. Главное, кто его вырастит. А я его выращу. И буду любить как самого своего. И потом ты мне еще родишь, правда?

— Иваныч... ты... ты самый лучший, я люблю только тебя... И мне так больно, что я... Что он был у меня, я его не любила, и никогда не хотела...

— Да брось ты о нем! Не было его! Понимаешь, не было! И потом ребенок от него будет очень красивый, а от меня — это еще большой вопрос... Все к лучшему, глупая девочка.

— А ты откуда знаешь, что он красивый?

— А он тут приходил как-то.

— И что?

— Да ничего. Поглядел я на него и подумал, а Евка-то моя дурища, такого роскошного парня на меня променяла.

— А что ты ему сказал?

— Да ничего, он меня просто за маляра принял. А я глянул на него и загордился.

— Иваныч, родненький мой, я люблю тебя как... Ненормальная... я даже просто подумать не могу, что было бы, если б я тебя в метро не увидела. Я бы всю жизнь несчастная была... А сегодня как мне сказали, какой у меня срок... Думала с ума сойду, если ты меня бросишь...

— Не дождешься! Я же в конце концов знал, что у тебя парень есть, так что ж теперь... Я люблю тебя. И тоже иногда думаю, что, если б я тогда тебя не дождался... От одной мысли плохо делается...

— Знаешь, Иваныч, у нас в ЗАГСах говорят всякую фигню, когда поздравляют, а в заграничном кино так красиво... В горе и в радости, в болезнях там и вообще, так я тебе заранее скажу — обещаю любить тебя всегда, в горе и в радости, здорового и больного, до гробовой доски... Вот!

Он засмеялся, прижал ее к себе, стал целовать в волосы, и она не видела, что на глазах у него были слезы.

2007 год

После ужина Родион с Олегом ходили гулять. Они шли, лениво перебрасываясь какими-то необязательными фразами, наслаждаясь свежим морским воздухом и умением молчать рядом друг с другом. Родион думал о Лали. Кажется, я ей все-таки нравлюсь, во всяком случае, когда утром еще до завтрака мы столкнулись на пустынном пляже, она улыбнулась как-то ласково и вошла в воду вместе со мной и мы поплыли к буйкам, а потом довольно долго болтали о какой-то чепухе, повиснув на тросе. Родион говорил, как ему нравится Петя, какой это умный и добрый парень. Она радовалась. Какой матери не доставит удовольствия подобный разговор. А после завтрака он увидел, как Лали с сыном играли в пинг-понг, подошел, сыграл партию с выигравшим у матери Петькой...

— Ну что, дружище, не клеится роман? — прервал его мысли Олег.

— Терпение в данном случае залог успеха.

— Но курортного романа явно не будет.

— А мне и не надо.

— Ой, врешь.

— Нет, Олег, я понял, что она мне нужна не на пересып, она мне просто нужна. Улавливаешь разницу?

— Но она живет в другой стране.

— Слава богу, сейчас это не препятствие.

— И ты готов ради этой практически незнакомой бабенки пожертвовать своей пресловутой свободой?

— А черта ли мне в этой свободе, если у меня будет такая женщина?

— Да, друг, ты влип. Я, правда, только увидев ее, понял, что она тебе понравится, но не настолько же...

— Я и сам от себя не ожидал... Знаешь, смешно в моем возрасте и с моим опытом, но когда я ее вижу, у меня перехватывает дыхание. Глупо, да?

— И ты не сделал даже попытки...

— Нет. Я боюсь...

— Боишься? Ну и ну! А чего боишься? Что отошьет?

— Нет. Боюсь обидеть, боюсь показаться наглецом, мужланом...

— Да может, она только этого и ждет? Она женщина в самом соку, муж умер...

— Нет. Я уверен, что все не так. Нахрапом тут ничего не добьешься. Только терпением...

— И у тебя оно есть?

— Представь себе. Цель оправдывает средства.

— И какая у тебя цель?

— Быть всегда рядом с ней и умереть в один день.

— Я не узнаю тебя, Родя.

— Я сам себя не узнаю.

— А как же твои девочки?

— А девочки... девочки помогут скоротать время на пути к заветной цели.

— Фу, слава Богу, а то я уж подумал, ты и впрямь решил...

— Я решил, но я же живой мужик... И все-таки у меня в жизни появилась цель. И я ее добьюсь, во что бы то ни стало. Тем более что у меня уже есть союзник. Ее сын. Кстати, чудесный парень. Такой мог вырасти только в атмосфере любви. Там, похоже, была настоящая любовь. А это значит, она на нее способна. Знаешь, что мне Петя рассказал? Несколько лет назад они втроем отдыхали где-то в Испании. Отец куда-то уехал, они вдвоем в матерью были на пляже и вдруг видят — к берегу идет яхта... с алыми парусами. Это было какое-то место, где мало русских и почти никто не понял...

— Это муж был?

— Ну конечно.

— Надо сказать, довольно пошло...

— Нет, если от души... Мне понравилось.

— Но повторить подобный номер уже нельзя.

— Я и не собираюсь, но, значит, там была романтика в отношениях, и она ее ценит. Я придумаю что-то свое...

— Ох, Родька, боюсь, что свежих идей уже не осталось.

— Новое — это хорошо забытое старое. Ты, Олежка, тоже думай, авось что в голову придет.

— Делать мне больше нечего, — проворчал Олег.

— Ну, мало ли...

— Не обещаю. Ладно, что-то я утомился от твоих любовных переживаний. Да и вообще, я тебя знаю лет тридцать, но такого что-то не припомню.

— А я себя знаю уже сорок шесть лет и тоже не припомню. Все когда-то случается впервые.

— Да пошел ты... Все, до завтра, — сам не зная почему рассердился Олег Васильевич. Только уже дойдя до дверей своего номера, он вдруг подумал: а может я просто завидую Родьке, что он еще способен на такие чувства?

Родион же решил пойти в бар, авось там сидит Лали и пьет свой любимый «Манхэттен»? Петька с приятелем опять подался в город. Но в баре он ее не обнаружил.

— Родион Николаевич! — окликнули его две дамы, с которыми его познакомили Долговы. — Вы кого-то ищете?

— Да, мы с Олегом потерялись. Ничего, пойду к нему.

И он поспешил ретироваться. Спустился на лифте к пляжу. Пляжный бар сегодня был закрыт. Он пошел по дорожке вдоль пляжа и вдруг заметил на песке у воды женскую фигурку. Лали? Она сидела на песке, обхватив руками колени. Он пригляделся. Она! Сидит одна в темноте... Плачет? Он сбросил с ног сабо и тихонько подобрался поближе. Да, это она. Плачет. Он подошел совсем близко.

— Лали!

Она вздрогнула.

— Вы? Что вы тут делаете?

— Шел мимо. Заметил вас. Только и всего. Мне уйти?

— Да нет... Скажите, который час?

— Половина одиннадцатого.

— Спасибо.

Она хотела встать, но у нее затекла нога. Он подал ей руку. Она поднялась.

— Простите, я...

— Вы плакали?

— Нет-нет, все в порядке, спасибо, я пойду.

— Я вас провожу, мы же соседи.

Она сделала несколько шагов и вскрикнула.

— Что такое?

— Ничего, пройдет, свело ногу, у меня иногда бывает, сейчас пройдет.

Он видел, что она не притворяется. Присел на корточки, пощупал икру. Она и в самом деле словно закаменела.

— Сядьте вот на лежак. Я помассирую.

Боль видимо была очень сильной, потому что она послушно опустилась на лежак. Он осторожно и умело начал массировать ногу. Она закрыла глаза и закусила губу.

— Очень больно?

— Да.

— И часто у вас такое бывает?

— Нет.

— Но как же вы рискуете заплывать так далеко, ведь если такая судорога в воде...

— В воде еще ни разу не было... Обычно это бывает, если каблуки высокие... А тут... Не знаю... Ох, кажется легче... Спасибо.

— Да не дергайтесь вы. Я знаю, что делаю. Доверьтесь мне.

Ее близость, ее кожа под его руками страшно волновали его, но он думал: вот, хорошо, еще один шажок к цели. Она теперь будет доверять мне, главное не поддаваться чувствам... Вскоре он явственно ощутил, что сведенные судорогой мышцы расслабились, но так трудно прервать это прикосновение...

— Боже, прошло, да вы кудесник...

— Все-таки обратитесь к врачу, а то мало ли...

— Ненавижу врачей.

— Вообще-то я тоже, — засмеялся он. Встал, сунул ноги в сабо, помог ей подняться. — Ну как?

— Спасибо. Все прошло!

— Ну что, по домам?

— Да.

Он взял ее под руку. Она не противилась.

— Пойдем через лужайку? — спросил он.

— Да, конечно.

Он довел Лали до террасы ее номера. Отпустил руку. И ему показалось, что она слегка разочарована.

— Родион Николаевич, хотите чаю?

— Чаю? — задрожал он.

— Ну да, я люблю хороший чай и...

— Господи, конечно, хочу! — возликовал он.

— Садитесь, я быстро приготовлю... — Она указала ему на плетеное кресло.

— А у меня есть к чаю местная сладость, засахаренные кумкваты...

— Да? Это вкусно?

— Очень. Сейчас принесу!

Он метнулся к себе в номер. Достал коробку с кумкватами. Хотел уже сунуть в карман брюк презервативы, но подумал: даже если она и сдастся сегодня, завтра она мне этого не простит. Надо набраться терпения. Мне ведь не просто пересып нужен, напомнил он себе. На сегодня обойдемся чаем.

Чай, заваренный Лали, показался ему поистине нектаром.

— Лали, это восторг! Кажется, я сроду не пил такого чаю!

— Рада, что вам понравилось. А эти ваши кумкваты очень вкусные. Я как-то никогда их раньше не пробовала.

— А есть еще и ликер из них. Тоже прелесть. Но мы с Олегом его, увы, выхлебали. Лали, а где вы живете в Германии?

— Под Мюнхеном.

— Никогда не был в Мюнхене. Но всегда хотел.

— О! Мюнхен чудесный город. Я его ужасно люблю. Если вас занесет в наши края, буду рада показать вам город. Родион Николаевич, расскажите о нынешней Москве.

— А вы давно уехали?

— Очень давно. Двадцать лет.

— И вас не тянет домой?

— Домой? У меня там нет дома. И никого нет.

В ее голосе ему послышалась боль.

— Рассказать об этом сложно, это надо увидеть и почувствовать, так что, если вас вдруг потянет на родину, буду рад показать вам новую Москву.

Они рассмеялись.

— А ведь я приеду в Мюнхен. Непременно.

— Тогда приезжайте на Рождество. Это красиво, весело.

— А как вас найти?

Она встала, ушла в комнату и принесла визитную карточку... «Лали. Магазин эксклюзивных украшений». А внизу адрес, телефон, факс и электронный адрес.

— Это ваш магазин?

— Да, теперь мой. В свое время, когда Петька подрос, муж сказал, что хочет... чтобы у меня был свой кусок хлеба. Мы подумали и я пошла учиться к одной художнице. Ну, я оказалась достаточно способной ученицей, и вскоре мы с ней открыли малюсенький магазинчик. У нас пошло, через три года мы переехали уже на достаточно фешенебельную улицу, сняли помещение побольше, но Тина внезапно бросила все, оставила мне дело, и уехала в Африку. Больше я о ней ничего не слышала. Она была хорошим человеком, но странным, одиноким и... Словом, я осталась одна. И справилась. У меня помощница и подруга, которая остается в магазине... когда мы... когда я должна уехать... Ну вот...

— А украшения вы делаете сами?

— В основном да, но и подруга тоже кое-что делает. Иногда я что-то заказываю... Вот так...

Он спрятал карточку. Домашнего телефона и адреса она не дала, но это уже неважно. Все равно приглашение прозвучало.

На прощание он поцеловал ей руку.

— Спасибо за хороший вечер и за массаж, — улыбнулась она.

От этой улыбки у него перехватило дыхание.

— Рад был оказаться полезным. Спокойной ночи, Лали.

1987 год

Накануне свадьбы Ева получила телеграмму. Бабушка Варвара Семеновна внезапно умерла. Умерла во сне.

Ева рыдала, Георгий Иванович был мрачен. И даже, как ни странно, не пытался ее утешить.

— Иваныч, это дурной знак... — вдруг прошептала Ева. — Накануне свадьбы...

— Ерунда!

— Но я должна поехать...

— Мы полетим вместе, на самолете. После ЗАГСа, — твердо произнес он. — Расписываемся в двенадцать, а самолет в четыре, я узнавал.

— Я боюсь на самолете...

— Маленькая моя, ничего страшного. Но иначе мы не успеем на похороны. А может мне одному, ты же все-таки в положении, — вдруг растерялся он.

— Нет, я должна попрощаться с бабушкой... Пусть... Я полечу, я знаю, беременные летают... А с тобой мне и бояться нечего. Я просто дура.

Утром Ева долго мыла лицо холодной водой.

— Иваныч, не видно, что я плакала?

— Нет, видно только что ты невероятно красивая и грустная, все подумают, что ты грустишь оттого, что муж у тебя старый и бедный.

Она фыркнула.

— Старый и бедный, я тут вот что подумала...

— Ну?

— Что ж, если я возьму твою фамилию, я буду Ева Браун?

Он засмеялся. В самом деле, что-то не то...

— Но по паспорту я вообще-то Евлалия.

— О! А я и не знал... Тогда будет так. Ты начинаешь совсем новую жизнь, и в этой новой жизни тебя будут звать Лали. Лали Браун.

Часть вторая

Платону опять приснилась Ева. И что бы это значило? Неспроста наверное после стольких лет она вдруг стала являться ему во сне. Может, надо все-таки съездить в Москву? Он даже не был на похоронах родителей. Наверное, надо побывать на кладбище... Но при чем тут Ева? Она даже не была его большой любовью. Просто красивая девочка, скромная, славная, вкусно делала пельмени... Хорошо, что она меня тогда бросила. Это явилось стимулом пересмотреть свою жизнь... Но в Москву все же стоит слетать, хотя бы на неделю. Как говоритея, поклонюсь могилам и назад, в Нью-Йорк. Но причем тут Ева? Глупость какая-то...

Как странно все-таки иной раз шутит жизнь. Этот человек, Родион... Он мне нравится, хоть я и понимаю, что он мне не нужен. Мне на самом деле никто не нужен, но в нем есть что-то приятное, и я была бы рада, если б он приехал в Мюнхен. В нем нет агрессии. Я убеждена, что нравлюсь ему, нет, он даже, возможно, влюблен в меня, но все-таки внял моему предупреждению и ведет себя безупречно. Может быть, даже слишком? закралась вдруг крамольная мысль. Ох нет, невозможно... Нельзя... Пошлый курортный роман всего через полтора года... Да я и не смогу... Мое тело еще слишком хорошо помнит Иваныча... И любой другой мужчина... Фу, не хочу. Ее даже передернуло от одной мысли о близости с другим. Мне в жизни выпал счастливый билет... Такая любовь... Другой такой быть не может... Ведь мы оба с первого взгляда распознали друг в друге свою вторую половинку, потом нас опять свела судьба и мы больше не расставались... Двадцать лет невероятного счастья, хотя бывало иной раз так трудно, так непереносимо страшно и тяжко. Но я всегда знала, что он со мной, что он та самая пресловутая каменная стена... А я ведь была совсем девчонкой... Разве я забуду, как мы полетели на похороны бабушки... И в районном городишке на автобусной станции он вдруг встретил какого-то пожилого человека и изменился в лице, а тот сказал ему:

— Георгий Иваныч, я ведь знаю, что у тебя детей нет, значит, это не дочка твоя, а краля, так вот, ты зайди ко мне, тут, как ты уехал, письмо на твое имя пришло... Из Германии.

Иваныч побледнел. Потом кивнул, зайду, мол. А тот и говорит:

— Пошли сейчас, отдам тебе письмо и вся недолга.

— Ладно, — кивнул Иваныч, мой муж, мы только вчера утром расписались. Он усадил меня в чахлом скверике на лавку, а сам ушел с тем типом.

А меня всю трясло от страха, я ведь поняла, что это какой-то местный кагебешник, наверное. Письмо из Германии, как оно сюда попало? Короче, от страха я ничего не соображала. Так прошло полчаса, сорок минут, я уже умирала... Но тут он появился.

— Что, Иваныч? — кинулась я к нему.

— Ничего страшного. Все объясню, только потом. А то опоздаем на автобус.

И только когда мы уже собрались лететь в Москву и ждали вылета, он рассказал мне, что тот тип неплохо к нему и раньше относился. А тут сказал:

— Георгий Иваныч, времена, конечно, поменялись, но кто знает, надолго ли. У тебя женка молоденькая, красавица, похоже, дитенка ожидает, так вот тебе мой совет: уезжайте, вас в Германию зовут, и сейчас скорее всего выпустят, начнешь там новую жизнь, ты ж, как это, этнический немец...

— Да какой я к чертям немец!

— Зря отказываешься. Ты ж классный инженер, мостовик, там себе работу найдешь, а тут... Ну, может, прорабом устроишься, только ты слишком честный, а это всем мешать будет, а мосты, Георгий Иваныч, сам знаешь, стратегические объекты, кто ж тебя, бывшего зэка, да еще политического, да с родней в Германии, мосты строить возьмет? Оно, конечно, может, все и по-другому сложится, но ты уж не молоденький, пока то, сё, а жена девочка совсем... Мой тебе совет — уезжать надо. Пока дверку не заперли.

— А почему, Анатолий Сергеевич, вы мне все это говорите?

— Да потому что уважаю тебя, ты мужик настоящий, кремень, а это в наше время штучный товар. А я... я ведь тоже инженером был, в органы по путевке комсомола попал и уж выдраться не сумел... И я тоже вроде ссыльного... Раньше в Свердловске работал, да ошибку допустил, вот меня и отправили в эту глушь... Словом, не обо мне речь. А ты, если не уедешь, под первый же заворот гайки можешь обратно загреметь. Девчонку жалко будет.

Я слушала с замиранием сердца.

— Иваныч, что ты решил?

— Ты поедешь со мной?

— С тобой? Хоть на край света.

— Тогда попробуем выехать. Действительно, что нам терять, кроме своих цепей?

— А ты немецкий-то хоть знаешь?

— Знаю. И тебя с завтрашнего дня буду учить.

— Ой, Иваныч, а как же институт?

— Там пойдешь учиться. Освоишь язык и пойдешь. Какие твои годы! А мне и вправду здесь по специальности работать не дадут.

— А там что, сразу дадут?

— Сразу не сразу, но хоть шанс такой есть.

— А ты небось отстал уж за эти годы?

— Обижаешь. Меня как из лагеря выпустили, я сразу стал наверстывать... И кое-какие свои соображения имеются. Там на них может быть спрос, а тут не пробить... Сейчас ведь все будет рушиться, до созидания еще не скоро дойдет, а я уж не мальчик...

Я чувствовала, что он загорелся этой идеей. Хотя мне было страшно ехать в чужую страну...

— Лали, подумай...

Он впервые назвал меня этим красивым новым именем, словно обозначая начало новой жизни.

— Подумай, мы с тобой увидим мир... Скажи, ты мечтала когда-нибудь попасть, скажем, в Париж или в Лондон?

— Даже и мечтать не смела...

— К маме своей сможешь съездить...

— А ты думаешь, я знаю, где мама?

— Разыщем, не проблема! Ты подумай, рожать будешь в Германии.

— Я б и тут родила... Ой, Иваныч, нет, нет, мы поедем, куда скажешь, как захочешь, так и будет. Я жить без тебя не смогу, Иваныч, миленький!

Ах, как же весело мы жили два с лишним месяца до отъезда! Все время хохотали, хотя иногда казалось, что из этой затеи ничего не выйдет. Однажды, когда Иваныч бегал по всем этим делам — на работу он так и не пошел и мы распродавали все, что только возможно, просто, чтобы не помереть с голоду, в дверь вдруг позвонили. На пороге стояла какая-то женщина в очках, маленькая, худенькая, словно высохшая.

— Добрый день, Георгий Браун тут живет?

— Да. Вы кто?

— Я? Это неважно. Он дома?

— Нет. И будет только вечером.

— А вы кто?

— Я его жена, — с гордостью ответила я.

— Жена? Не может быть!

— Очень даже может быть. Но вы-то кто и зачем вам мой муж?

— Мне надо с ним поговорить...

— Так позвонили бы по телефону.

— Это не телефонный разговор.

— Тогда не знаю...

— А вы что, уже ребенка ждете? — она показала на мой живот. В последнюю неделю он вдруг стал здорово заметен.

— Ждем!

— Послушайте, я не знаю, как вас зовут...

— Может, вы первая назоветесь, а то глупо как-то, разговариваем через порог...

— Хорошо. Будем знакомы. Меня зовут Зинаида.

— Очень приятно. А меня Лали.

— Лали?

— Да.

— Вы грузинка?

— Нет, я Евлалия.

— Евлалия? Разве сейчас бывают такие имена? Что-то из Островского.

— Послушайте, Зинаида, вы может, войдете?

— Зачем? Нет. Я все поняла. Я пойду.

— А что передать Георгию Ивановичу?

— Ничего. Уже ничего не нужно.

Я пожала плечами. Она ушла.

Странная какая... Наверное, из его прежней компании. Диссидентка... И небось влюблена в Иваныча. Мне казалось, все женщины должны в него влюбляться. Правда, Женька, когда его увидела, покрутила пальцем у виска.

— Евка, ты часом не рехнулась?

А бабы в Половинке наоборот, завидовали мне. Даже дуреха Шурка сказала на похоронах бабушки: Да, свезло тебе, с таким не пропадешь.

Вечером, когда вернулся Иваныч, я рассказала ему о приходе Зинаиды.

Он нахмурился.

— А ты почему ее не пригласила меня подождать?

— Я приглашала, она не захотела. Иваныч, она ж в тебя влюблена как кошка, ей небось противно было сидеть с твоей беременной женой, которая еще в два раза моложе нее.

— Ох, ты и наглая стала, Лалька. И нисколечко она в меня не влюблена, просто старый боевой товарищ. Небось узнала, что я собрался уезжать... Отговаривать пришла...

Дня через два он рассказал, что Зинаида все-таки нашла его. И действительно уговаривала остаться.

— А еще она меня упрекала, что я тону в мещанском болоте, что это стыд и позор для такого, как я.

— А ты что сказал?

— Я? Сказал, что люблю свою жену и будущего ребенка, — просто ответил он.

— А она?

— А она заявила: «Уверена, это твоя вертушка за границу захотела, за колбасой и тряпками». Вот какое ты впечатление на серьезных людей производишь, — смеялся он.

— А мне на серьезных плевать, мне главное на тебя нужное впечатление производить. Произвожу?

— Производишь, еще как производишь... Совсем меня с панталыку сбила... Если б ты знала, как тебе идет этот животик... Ты мне потом еще родишь, правда?

Он целовал меня в живот, гладил, и я совершенно забыла, что это не его ребенок... Я была счастлива. И чувствовала себя прекрасно. Иваныч учил меня немецкому, мне казалось, я никогда не усвою эту жуткую грамматику.

— Ничего, — утешал он меня, — в Германии все будут говорить по-немецки, и ты начнешь, никуда не денешься.

А еще он рассказывал мне об истории, литературе... Он столько всего знал! А однажды он вернулся вечером, лицо у него при этом было хитрое и веселое, значит, принес мне какой-то подарочек или что-то вкусное.

— Вот, смотри, что я для тебя добыл...

Он достал из кармана маленькую прозрачную коробочку, где лежал красивый флакончик.

— Ой, что это?

— Духи. Французские. Называются «Любовь».

— Иваныч, ты с ума сошел, у нас же денег нет!

— Это подарок тебе от одной писательницы.

— От какой еще писательницы?

— Ей семьдесят шесть лет, не ревнуй! Просто мы давно знакомы, я зашел к ней по делу, ну и рассказал о тебе. Вот она прислала... Понюхай!

Духи были чудные, фирмы «Коти».

— Нравятся?

— Да, еще бы... У меня никогда французских духов не было...

— А знаешь, что писал Гёте о духах?

— Нет, откуда?

Он прочел что-то по-немецки.

— Поняла хоть словечко?

— Нет!

— Так и быть, прочту по-русски, пока мы в России, тем более перевод уж больно хорош. «За флакон благоуханий, что как твой мизинец мал, целый мир существований безымянной жертвой пал»[1]. Каково?

— Прочти еще раз. Я не все поняла.

Он повторил.

— Да, красиво. Это цветы имеются в виду, да?

— Господи, как я тебя люблю, — туманно ответил он и стал меня целовать.

Наконец, мы уехали. Вещей у нас было совсем немного, и денег нам поменяли по триста марок на душу. Но с ним мне все казалось ерундой. Новая жизнь в Западной Германии! В кино показывали тогда фильм «Замужество Марии Браун». А Иваныч, едва наш поезд пересек границу между ГДР и ФРГ и все бесконечные досмотры остались позади, вдруг сказал:

— Ну вот, теперь начинается новая, совсем другая история под названием «Замужество и новая жизнь Лали Браун».

В Мюнхене на вокзале нас встретили двое — дядя Иваныча Гюнтер Браун с женой Габи. Они никогда прежде друг друга не видели. Встреча была странная.

---

[1] Перевод с немецкого В. Левика

Они пожали друг другу руки. Заговорили по-немецки. Я поняла только одно слово «гратулирен», значит, дядя поздравил Иваныча. А еще Иваныч сказал: «майне фрау», что значит «моя жена». Габи смотрела на нас с некоторой брезгливостью, как на грязных дикарей. Было очень неприятно. Потом Гюнтер взял один чемодан и мы пошли к машине. Я совершенно обалдела от этого вокзала, от нарядных киосков, оттого, что кругом все говорили по-немецки.

Я плохо, совсем плохо помню первые два месяца. Мы поселились в крохотной квартирке, которую нашел для нас Гюнтер. Кажется, Иваныч получал какое-то пособие, я ходила на курсы немецкого, мы каким-то образом избежали так называемых «общежитий» для новых иммигрантов. Но меня вдруг охватила жуткая тоска, я пыталась скрывать все от Иваныча, но мне это давалось с таким трудом, что я впала в настоящую депрессию. Я безумно боялась родов, хотя врачи говорили, что и я и ребенок вполне здоровы. Иваныч устроился на работу в какую-то строительную фирму, правда, с испытательным сроком. Ни о каких мостах пока и речи не было. Но он был полон оптимизма. Пока он работал, я боялась даже выходить из дому. Схватки начались в его отсутствие. Я испугалась, начала метаться, но боль вдруг успокоилась... Ничего, может, обойдется... Но тут отошли воды... Я позвонила ему на работу.

— Иваныч, началось...

— Я сейчас! — крикнул он.

Не знаю, сколько времени прошло, появились какие-то люди в белом, они что-то спрашивали, я ничего не понимала, только плакала, даже кричать боялась. Но тут вбежал Иваныч, взял меня на руки и отнес в машину.

Роды были долгими, мучительными, но сына своего я увидела только через полгода. После родов я ослепла. «Истерическая амблиопия» — сказали врачи. Бедный, бедный Иваныч, как же туго ему пришлось! Крохотный ребенок, слепая жена, которая день и ночь льет слезы... Конечно, и молоко пропало. Врачи говорили, что слепота должна пройти, но она не проходила.

— Иваныч, миленький, прости меня...

— Дурочка, ты ж не виновата...

— А расскажи, какой Петька...

— Петька? Красавец! Здоровенный, толстый, аппетит будь здоров!

Чтобы иметь возможность работать, Иваныч нашел русскую старушку Евдокию Сергеевну, которая жила неподалеку и приходила мне помогать. Испытательный срок он выдержал, его взяли на постоянную работу и платили очень недурную зарплату. Евдокия Сергеевна стала моим спасением.

— Что ж это ты сидишь, а? Ребеночка обиходить и на ощупь можно.

Она приучала меня ко всему и через месяц я научилась сама его мыть, менять памперсы, только еду для него она мне не доверяла.

Я стала меньше плакать.

— Ты, Лали, бери себя в руки, а то муж разлюбит. Мужчины, они такие, больных да несчастных не любят. Он на тебе молодой, красивой и веселой женился, а ты что? Как твоя болезнь называется? Истерическая какая-то штуковина. Значит, надо брать себя в руки, чтобы прошло.

Я старалась, изо всех сил старалась. Но по-прежнему ничего не видела. Теперь меня еще угнетало чувство вины перед мужем. Это был заколдованный круг. Но однажды ночью я проснулась. Иваныча рядом не было. Я хотела позвать его, но тут до меня донеслись какие-то странные звуки. Я не могла понять, что это. Я теперь прекрасно знала все звуки в квартире. Слышала, как рядом чмокает во сне Петька. Тогда я встала и побрела в направлении этих звуков. И вдруг замерла. До меня дошло. Это плакал Иваныч. Плакал неумело, видимо, пытаясь заглушить свой плач. Что со мной сделалось! Я хотела закричать, позвать его, прекратить эту пытку, но поняла вдруг очень ясно: он не должен знать, что я это слышала. Я забилась под одеяло и сказала себе: я должна, я просто обязана взять себя в руки. И справиться с этой истерикой... Если я не справлюсь, то потеряю самое главное — любовь Иваныча.

И так меня потряс его плач, так крепко я вбила себе в башку, что обязана прозреть, что уже через два дня увидела первые проблески света. А через неделю и вовсе прозрела. Это было такое невероятное счастье... Я увидела своего сына! Он и вправду был красавец и вправду толстый, розовый, а вот Иваныч здорово спал с лица, исхудал, постарел... Но был сам не свой от радости. И совсем даже не разлюбил меня, а стал любить еще крепче. И я его.

Я и сейчас еще люблю его, хоть он и умер полтора года назад. И ничего и никого другого мне не надо.

Весь день Лали не попадалась на глаза Родиону. Ее не было и на пляже. Прячется, с удовольствием думал он. Впрочем, Пети тоже не было видно. Наверное, уехали в город, решил он. Но вечером, когда он с Олегом и Вавочкой шел ужинать, его окликнула недурно говорившая по-русски девушка-портье:

— Господин Шахрин, вам тут записка оставили, — она протянула ему конверт.

Он испугался, что приехала девица, которой он обещал эту поездку, но в последний момент передумал. Она была чрезвычайно настырной. Он вскрыл конверт: «Дорогой Родион Николаевич, простите, что уезжаем не попрощавшись, но чрезвычайные обстоятельства требуют срочного отъезда. Спасибо за доброе отношение. Всего наилучшего. Лали Браун».

Он сам ощутил, что бледнеет.

— Родька, что? Что случилось?

— Да ничего, — с трудом выговорил он и нехорошо засмеялся. — Всего лишь облом. — Он протянул другу записку.

— Ну, ты даешь! Побелел как... я уж думал беда какая. Как-нибудь перетопчешься. Ничего же не было, насколько я понимаю...

— Не было, — кивком подтвердил Родион.

— Ну и бог с ней. Оглянись вокруг, сколько баб... И девиц, кстати, вон одна с тебя глаз не сводит...

— Да пошли они все!

— И это тоже правильно!

В Москве началась обычная круговерть и Родион успокоился. Что ж, видно, не судьба. Бывает. Однако, просмотрев фотографии, снятые на Корфу, он обнаружил чудесный снимок Лали. Долго смотрел на прелестное лицо, а потом заказал увеличенный портрет, купил рамку и поставил на письменном столе. Первые дни портрет будоражил его, а потом он привык. Но однажды девушка, которую он пригласил к себе, спросила ревниво:

— Это кто?

— Подруга, — почему-то ответил он.

— Просто подруга?

— Просто подруга, — он начал раздражаться.

— Неинтересная. И старая, — вынесла приговор девушка. Правда очень скоро она поняла, что вынесла приговор себе.

И чего я завелся, недоумевал потом Родион. И решил впредь прятать карточку Лали, когда приведет очередную даму.

Так он и делал.

Прошло полтора месяца. Как-то он вернулся домой и застал приходящую домработницу Валентину Ивановну, что его удивило, обычно она уходила раньше.

— Ой, Родион Николаевич, вам тут с Америки звонили, вроде, брат.

— Брат? И что он сказал?

— Да ничего не сказали, только вот телефончик оставили и еще велели сказать, в Москву собрались. Я боялась, что позабуду все, вот и решила вас дождаться. Телефон какой-то жутко длинный... Может, я чего и напутала.

— Спасибо большое, Валентина Ивановна, а он не сказал, когда именно в Москву собирается?

— Нет, чего не сказал, того врать не буду, Родион Николаевич. А вы сами ему позвоните...

— Да-да, непременно. Еще раз спасибо, что дождались.

— Так я пойду...

— Да-да, спасибо.

— А я и не знала, что у вас брат-то есть.

— Да я и сам уж забывать стал...

— Родной брат-то?

— Родной. Младший брат.

— Это сколько ж вы не видались?

— Много, лет пятнадцать, наверное. Простите, Валентина Ивановна, мне необходимо позвонить.

— Ухожу, ухожу, а то я разволновалась, вот мелю языком...

Интересно, зачем это Тоник вдруг в Москву собрался? На похороны отца не приехал, сказал, что занят, а когда умерла мама, я просто не смог его найти... Совесть замучила? Или в Штатах что-то не сложилось? Интересно, какой он стал? Был когда-то славным парнем, правда сильно подверженным родительскому влиянию. А я бунтовал, лет с семнадцати начал бунтовать, в двадцать два вообще ушел из дому... Странно складывается жизнь... Я, повзрослев, вернулся, правда уже другим человеком, мне родительские предрассудки стали уже не страшны... А Тоник, маменькин и папенькин любимчик, даже на их похороны не прилетел... А может, просто не смог, а потом было стыдно объявляться? Интересно, как мы встретимся? Как родные братья или как чужие люди? Боюсь, именно как чужие. Что у нас общего, кроме родителей? А впрочем, неважно. Он мой брат и я должен его встретить... А там будет видно.

Он поужинал, убрал посуду и вдруг подумал: Что-то мне надоело так жить... Я хочу, чтобы вечером меня встречала любимая женщина... А разве у меня есть такая? Он посмотрел на портрет Лали. Ерунда, где я, а где она... У нас нет ничего общего. Он взял портрет в руки и хотел убрать в ящик. Но отчего-то не смог и поставил на место. И тут зазвонил телефон.

— Алло.

— Родька? Ты? Здорово, братик!

— Тоник?

— Я! Не ожидал?

— Как раз ожидал, мне сказали, что ты звонил. У тебя что-то стряслось? С чего это вдруг?

— Родька, я понимаю, ты обижен... Но так все складывалось... Родька, я послезавтра буду в Москве. Встретить сможешь?

— Смогу, говори рейс, ага, прилетаешь в Шереметьево, понял... Ты в командировку?

— Нет, я в отпуск. На десять дней. Примешь?

— Что за вопрос, конечно.

— Ты женат, у тебя дети?

— Нет, я живу один.

— Отлично, братишка! Знаешь, я вдруг почувствовал, что страшно соскучился... Ну все, тогда до встречи?

— Да-да, конечно!

Родион повесил трубку. Надо бы как следует принять брата. Он любил пироги с капустой... Попрошу Валентину Ивановну... И вдруг ему в голову пришла озорная мысль. А не сосватать ли Тоника с Фаиной? Она фантастически готовит, и вообще классная баба, веселая, остроумная, при ней встреча пройдет куда легче... Правда, она влюбчивая чересчур, сейчас как раз в простое и может не на шутку втрескаться в Тоника... Нет, надо сперва поглядеть на него, а то, неровен час, испорчу жизнь старой подруге... Ничего, обойдемся пирогами Валентины... Она готовит хоть не изысканно, но вполне вкусно. Так он и решил. И вообще первую встречу с братом лучше провести с глазу на глаз.

Платон даже не предполагал, что будет так волноваться. Когда самолет коснулся земли, его начало колотить от нетерпения. Говорят, Москву трудно узнать... А Родька? Узнаю я его? Какой он стал? Старый бродяга, кажется, наконец осел... Холостяк... Или в разводе? Я ж ничего о нем давно не знаю и как-то даже не хотел ничего знать, но эти дурацкие сны... Ева... Зачем мне Ева? Да глупости, не за Евой же я в Москву прилетел?

Очередь на паспортном контроле была невелика. И никто не снимал отпечатки пальцев... Он вспомнил, как к его приятелю прилетела из Москвы мать, которая всю жизнь работала на пишущей машинке. У нее были нечеткие отпечатки пальцев и в результате несчастную женщину после долгого перелета еще больше двух часов держали в отделе иммиграции, хотя она прилетела на две недели. А тут проверили паспорт и суровая девушка кивнула ему. Мол, идите. Он вдруг ощутил неимоверную радость освобождения. От чего? От страха, сказал он сам себе. Он не знал, чем встретит его родной город.

Пройдя через зеленый коридор, он увидал толпу народу. На мгновение замер. Вдруг кто-то хлопнул его по плечу.

— Здорово, брат!

Родион здорово изменился. Раньше это был худой, вечно бородатый и, казалось, вечно куда-то спешащий парень, а теперь это весьма респектабельный господин, в хорошей, явно дорогой куртке, загорелый и наверняка очень привлекательный для женщин.

— Да, Родька, я бы сам тебя не узнал... Как твои вулканы? Они, похоже, в прошлом?

— Это правда. Ну, брат, пошли. А я вот тебя сразу признал. Должен сказать, ты мало изменился, все такой же красавчик... Мамин любимчик...

— Родька, перестань, я знаю, я виноват.

— Да нет, я просто вспомнил. Пока ни в чем тебя упрекать не намерен.

— Пока?

— Пока ты не дал нового повода.

Машина у старшего брата тоже была хорошая, «ауди», похоже, он не бедствует.

— Ты живешь в родительской квартире?

— Да. Я же один, мне больше не надо.

— И там все по-старому?

— Нет, я сделал ремонт, все поменял, столько лет... Многое пришло в негодность.

— Понимаю, но жаль.

Родион пожал плечами.

— Тоник, лучше расскажи, как ты живешь? Чем занимаешься? Семьи, как я понимаю, нет?

— Дважды был женат. Но неудачно. Детей почему-то Бог не дает. Но я не жалею. Как погляжу на друзей своих... У одних два сына наркоманы, у других дочь оголтелая гринписовка, совсем сумасшедшая, у кого-то дочь проститутка... Ну а ты, брат? Тоже бездетный холостяк?

— Увы. Но хватит о грустном. В холостой жизни тоже масса плюсов, а о пресловутом стакане воды нам еще рано задумываться, ты согласен?

— Безусловно.

— Пироги с капустой по-прежнему любишь?

— Родька, ты помнишь? — вдруг страшно умилился Платон.

— Помню, конечно. И тебя дома ждет пирог.

— Здорово...

— Скажи, а с чего это ты вдруг решил навестить родные пенаты?

— Старею, наверное. Вдруг стала сниться одна девчонка, о которой не вспоминал давным-давно.

— Так ты к девчонке приехал? Она, небось, уже бабулька?

— Да нет, зачем она мне, и где ее искать? Просто эти сны растревожили и я решился...

— Ну и молодец! — Родион хлопнул брата по плечу.

— А чем же ты теперь занимаешься?

— Журналистикой.

— Вот как! Интересно... А как же вулканы?

— Это первая любовь. А с первой любовью редко остаешься на всю жизнь. У нас же невозможно было одно время заниматься наукой.

— И о чем ты пишешь? О политике?

— О нет, это не моя сфера. Я пишу о разных странах, много путешествую... вернее, путешествовал, сейчас вместе с другом издаем журнал о путешествиях и туризме.

— Тебе это интересно?

— Весьма.

— И судя по твоей машине, приносит доход.

— Приносит.

— Родька, а мама... Как она умерла?

— Знаешь, давай в машине не будем об этом говорить. Оставим печальные темы на потом. Успеется.

— Хорошо, как скажешь...

Они замолчали. Платон смотрел в окно и не узнавал родной город. И брата в общем-то тоже... Он стал вальяжным, невозмутимым, и слегка по-русски расхлябанным. А Платона не отпускало нервное напряжение, в котором он жил все эти годы... Мы, наверное, уже несовместимы... хотя я по-прежнему люблю его... еще бы, старший брат... Как я им гордился в школе. Да и потом... Он казался мне бунтарем, немыслимым храбрецом. А какие фотографии он привозил из своих экспедиций. Потоки раскаленной лавы... Это было так красиво и романтично. Помню, эта дурочка Ева стояла возле одной из таких фотографий, а потом вдруг сказала: «Знаешь, Тоник, твой брат жутко смелый, я бы ни за что на свете не полезла в такое пекло».

Платон тогда обнял ее и спросил: «А со мной тоже бы не полезла?» А она засмеялась: «Да ты и сам бы не полез... Я права? А твой брат, он герой, наверное...»

«Папа говорит, что не герой, а просто дурак».

А она тогда так усмехнулась... скривила губы. Романтическая девочка была... Я потом встретил ее подружку, кажется, ее звали Женькой, да, точно, и эта Женька сказала, что у Евки шарики за ролики зашли, и она втюрилась в какого-то старого мужика и уехала с ним куда-то... то ли в Сибирь, то ли наоборот за границу... Не помню... Да и вообще, сдалась мне эта Ева...

— Родь, это что, улица Горького?

— Да, теперь Тверская...

— Да-да, это еще при мне переименовали, кажется...

— Тоник, а ты где, собственно, сейчас живешь?

— В Нью-Йорке. Я так люблю Нью-Йорк. Правда, мне приходится два часа ездить на работу. К тому же сейчас практически невозможно нормально продать квартиру. Я хотел купить дом за городом... поближе к работе, но... А ты был в Нью-Йорке?

— Да, и неоднократно...

— Что ж ты меня не нашел?

— Я подумал, раз ты не объявляешься, значит, не больно-то я тебе нужен. Но, должен признаться, когда бывал в Нью-Йорке, всегда внимательно всматривался в лица... Безотчетно... видимо, все же хотел тебя встретить. Ты молодчина, что приехал! Я рад, братишка, правда...

— О, Кутузовский! — воскликнул Платон. — Его не переименовали?

— Нет. Кутузов по-прежнему в чести.

Квартиру Платон не узнал. Только отдельные вещи. Отец любил антикварную мебель, и старший брат, похоже, унаследовал эту любовь.

— Красиво... Но не узнать... О, буфет на месте! Хорошо...

— Будешь жить в моем кабинете... Устраивает?

Стены кабинета были увешаны большими фотографиями. Все знакомо — вулканы, потоки лавы. Родион на фоне извергающегося вулкана...

— Все-таки помнишь еще свое прошлое? Или боишься забыть?

— И то и другое. А хочешь, я тебе свою спальню уступлю?

— Нет-нет, тут отлично.

— Ну что, сразу к столу или хочешь отдохнуть? Ты в самолетах спать можешь?

— Да. Я спал. А вот есть хочу страшно. Но сперва приму душ.

— Я покажу, где ванная.

— Родька, ты спятил? Я в этой квартире вырос. Найду как-нибудь.

— Прости, я сдурел. Там синий халат и синие полотенца твои.

— Спасибо!

— Думаю, посидим по-братски на кухне, а?

— Еще бы! Только на кухне!

Кажется, он нормальный парень, подумал Родион. И это здорово... Я действительно рад.

Через четверть часа Платон явился на кухню, чистый, свежевыбритый и уже одетый. Родион как раз ставил в микроволновку тарелку с нарезанным пирогом.

— Родька, ты что, научился печь пироги?

— Да нет, я на такие подвиги неспособен.

— Уже одно то, что ты не забыл, подвиг! А кто пек несущественно.

— Бульон будешь? И что ты пьешь?

— Ох, все-таки перелет сказался... Я же привез шикарный виски...

— А как насчет водочки? На черносмородиновых почках?

— От мамы осталась?

— Нет, конечно. Я сам настаиваю. А можно на апельсиновых корочках, на калгане...

— Родька, это попахивает «Старосветскими помещиками», — засмеялся Платон.

— О, ты помнишь Гоголя! Ценю, брат. Так что?

— Давай на черной смородине. Ну и запах... Ох, как вкусно... А бульон кто варил?

— Я. И мясо я приготовил, все кроме пирогов...

— Молодец, а я только яичницу могу...

Они выпили, не чокаясь, за помин души отца и матери.

— Тоник, а ты классно смотришься. Подтянутый, красивый. Спортом занимаешься?

— Приходится. Иначе наш график не потянешь.

Выпили еще и еще. Родион достал из духовки мясо, из холодильника квашеную капусту и соленые огурчики.

— Родя, братик, только не говори, что ты и капусту солил, а то я расплачусь...

— Тоник, очнись, а рынки на что?

— Слава богу... А то уж я испугался...

— Тоник, скажи, ты жениться хочешь?

— Жениться? У тебя что, и невеста для меня припасена? Надеюсь, не в холодильнике? — у Платона вдруг начал слегка заплетаться язык.

— У меня есть старая подружка, Фаина, чудо-баба!

— Ты предлагаешь мне свои объедки?

— Да боже упаси. У нас с ней никогда ничего. Но она разошлась с мужем, сейчас в простое, такая баба... Умная, красивая, энергичная, а готовит... Мечта!

— А что ж ты сам-то?

— Да не мой тип... И вообще, мы дружим... А это частенько куда ценнее постели...

— Сколько лет?

— Тридцать пять...

— Да ну... Староватa...

— Ну ты и скотина!

— А у тебя-то самого сколько лет бабе?

— Что в данном случае подразумевается под словом «баба»? — Родион тоже был изрядно пьян. Его тянуло на откровенность. — У меня сейчас нет постоянной... девушки. Или бабы... Но влюблен я по уши, братишка ты мой дорогой. По у-ши, понимаешь?

— А она?

— А она... нет. Вот такая петрушка. А ей, между прочим, сорок один год и сыну девятнадцать...

— Родька, я тебя не узнаю! — пылко воскликнул младший брат. — Добивайся! Бери штурмом!

— Она живет в другой стране...

— Как ее зовут?

— Лали.

— Лали? Красивое имя... Она что, замужем?

— Вдова.

— Невеселая вдова?

— Именно.

— Так развесели... Укради ее, увези куда-нибудь в романтическое место... Она кто по национальности?

— Русская.

— А живет где?

— В Германии.

— Укради! Точно говорю, укради и она твоя будет.

— Что ты заладил, укради, укради. Мы ж цивилизованные люди.

— К чертям цивилизацию! Один мой знакомый в Нью-Йорке втюрился в девицу, а она фордыбачила, так он подогнал машину к месту ее работы, а она пела в русском ресторане, дождался пока она выйдет, предложил подвезти, она села к нему и он ее увез за город, в шикарное место, ну она и не устояла. И учти, это в Америке! У вас, да и в Европе, еще нет этого идиотизма с сексуальными домогательствами, чуть что и суд... Бред собачий... А как прикажете размножаться, а? Так что, братишка, вперед! Хотя зачем тебе баба за сорок с взрослым сыном? Да еще в Германии... Дурак ты, Родька, хоть и старший брат.

— А я вот сейчас тебе ее покажу... — Родион встал и слегка покачиваясь вышел. Через минуту он вернулся. — Вот смотри, какая...

Платон взял в руки рамку.

— Кто это? — спросил он вдруг охрипшим голосом.

— Лали.

— Глупость какая... Так не бывает.

— Почему?

— Это Ева...

— В смысле, что я Адам?

— В смысле, что это Ева... Она была моей невестой, а потом бросила меня и исчезла... Это из-за нее я приехал.

— Что? Что ты несешь? Какая к черту Ева?

— Ева, надо же... забыл фамилию... Студенточка мединститута... Мы собирались пожениться, а она... И чего ей было надо, хотелось бы знать... Красивая была, зараза... И предкам нравилась, мама ей шмоток надарила, у нее потом хватило наглости заявиться к маме и все вернуть... Гордая, сука!

Родион почувствовал, что трезвеет.

— Тоник, опомнись, это не она! Просто похожа, наверное. Это Лали, она художница, делает какие-то эксклюзивные украшения... У нее магазин...

— Кстати, у Евы мать была художница, правда, какая-то шизанутая, вышла замуж за еврея и умотала в Израиль... Евка потребовала, чтобы я не скрывал этого от предков... Ну, они и купились... Честная, мол, благородная, а она потрахалась со мной и слиняла...

Платон всхлипнул, его совсем развезло.

— Вот, братушка, а теперь ты попал... Плюнь на нее... Плюнь! Она тебе жизнь сломает!

— Но тебе-то она жизнь не сломала, впрочем, это все чушь... Твою звали Ева, а это Лали... Дай сюда! — он вырвал из рук брата фотографию.

— Да она это, она! Скажи, у нее на правом плече есть шрам? — вдруг вспомнил Платон.

— Шрам? Да... есть, — побледнел Родион.

— Ну, что я говорил! Это она, сволочь...

— Не смей так говорить! Если она тебя бросила, это еще ничего не значит.

— Значит! Меня никто не бросал, ни до, ни после. Я сам их всех бросал... Слушай, Родька, мне одна ее подружка потом сказала, что Евка связалась с сорокалетним стариком... Я еще тогда удивлялся, а мне уже сорок три... Обалдеть. Значит, он был не старик, а мужчина в самом соку... Опытный... Надо же...

— А где ты с ней познакомился?

— На каком-то концерте... Увидел и сразу заволновался... Она такая была... прозрачная что ли... И глаза бирюзовые. А главное, коса... У нее коса была до попы... Тургеневская такая девица... И пришла одна...

— А что за концерт? — с каким-то даже болезненным любопытством спросил Родион. Он вдруг поверил, что Ева и Лали одна и та же женщина, роковая женщина для братьев Шахриных...

— Не помню... Но помню, что в зале Чайковского.

— А ты тоже был один?

— Нет, я был с какой-то компанией, но как ее увидал, сразу откололся... Познакомился. Когда она сказала, что ее зовут Ева, совсем голову потерял... Пошел провожать, она жила далеко, но мне все было нипочем. Довел до дома, но даже не попытался поцеловать... Свидание назначил... Она пришла... Ну и завертелось... А потом ее мамаша с мужем свалили, она одна осталась... И пустила к себе... Родители тогда в загранке были, но ко мне она ни за что ходить не соглашалась... А у нее не квартира, а клетушка... Бедно так жила... Я был как ненормальный... И решил жениться, только боялся, что мама опять заведет свою шарманку про не наш круг... Но, вообрази, мать от нее в восторге была, и отец тоже...

Он умолк. Родион не понимал, что с ним творится. С одной стороны он умирал от ревности, идиотской, бессмысленной, с другой, ему до слез было жалко брата...

— И что дальше?

Ему вдруг нестерпимо захотелось услышать, как Ева—Лали дала Тонику отставку.

— У нас уже все было решено, мы должны были в августе уехать в Крым, а мама хотела отремонтировать Евину халабудку, а в июле я с друзьями уехал в Карелию, в байдарочный поход... Вернулся, а мама мне и говорит, что Ева принесла назад все подарки... Я кинулся туда, а там ремонт... Какой-то мужик сказал, что он родственник нового жениха... Сука! — скрипнул зубами Платон. — Ну я и ретировался... Выходит, она без меня сразу с другим снюхалась... Зачем мне такая? — И Платон вдруг средним пальцем правой руки потер лоб над переносицей.

Родиона вдруг словно что-то ударило! Этот жест! Совершенно так же тер переносицу Петя, сын Лали. Нет, чушь какая-то. Я просто выпил лишнего...

— Ладно, хватит, Родька, об этой твари... Плюнь на нее и разотри. - И он что было сил хватил застекленной рамкой об угол стола.

— С ума сошел! - крикнул Родион.

— Ерунда! пьяно засмеялся Платон. — Не нужна она тебе, только испоганит последние годочки... Не будем оглядываться назад! — Он стукнул кулаком по столу. — Давай свою Фаину! Звони, пусть приезжает!

— Нет, братик, в таком виде ты ей не глянешься. И вообще, иди-ка ты спать, все-таки из Америки летел...

— Спать... да, спать я хочу... с Фаиной...

— Перебьешься.

Родион помог брату дойти до дивана. Тот рухнул и почти сразу уснул.

А Родион вернулся на кухню, собрал осколки и обломки. Фотография была сильно попорчена. Он положил ее в файлик и спрятал. Но внезапно посетившая его мысль не давала покоя. Он достал фотоаппарат и стал просматривать греческие снимки. Ага, вот и Петька... Он максимально увеличил снимок. С ума сойти. Лоб, брови, глаза — точь-в-точь Платон. Вот это да! Его охватило смятение. Что же делать? Сказать брату, что у него, похоже, есть сын... Но зачем? Может быть... Нет, нет! Судя по всему, Ева была беременна от Платона, когда ушла к другому, а тот, другой, принял это и скорее всего вырастил мальчишку, как своего и Петя наверняка даже не подозревает о том, что покойный отец ему не отец. И Лали никогда мне не простит, если я разоблачу эту тайну. Ох, я же назвался ей, сказал фамилию... Вот почему она сбежала... Вот почему избегала сближения и со мной и с Долговыми... Она боялась... боялась за своего детеныша, за свою кровиночку... Бедная... А ее ведь все-таки тянуло ко мне... Ко мне или к Тонику? Нет, ко мне... Но ей было страшно и она сбежала... Ее можно понять... А что же мне-то делать? Забыть? Не могу и не хочу... А впрочем... Кажется, я знаю, что делать. Главное, Тоник ни в коем случае не должен увидеть эти снимки. Он вынул флэшку из фотоаппарата и хорошенько спрятал. Просто уничтожить фотографии было жаль. И он решил ни в коем случае не напиваться больше с братом наедине. И попробовать переключить его на Фаину.

В спальне он набрал ее номер.

— Привет, девушка.

— Привет, старый предатель.

— Кого это я предал? Уж не тебя ли?

— Может, и еще кучу народу, но меня явно... Две недели уже не звонил. Что-то стряслось?

— Кое-что. Потому и звоню. Твое сердце еще не занято?

— Ты на него претендуешь?

— Боже избави, нет, зачем тебе терять такого друга, как я? Нет. У меня есть на примете один...

— Один кто? Тип? Или друг? Или знакомый?

— Один брат.

— Брат? Какой брат?

— Мой брат. Младший.

— Так он же исчез.

— Да вот объявился. Я как его увидал, сразу подумал о подруге. Красавец мужик, рост, мускулатура, разведенный и одержим ностальгией. Свари ему борщ с пампушками и он твой.

— Ты что, серьезно?

— Абсолютно.

— Когда он приехал?

— Сегодня.

— А когда уезжает? — деловито осведомилась Фаина.

— Через десять дней.

— А что, интересная мысль...

— Представь себе, деверь — твой близкий друг... Очень удобно.

— Но я совершенно не хочу уезжать в Америку...

— А он хочет иметь детей...

— А чем он занимается в этой Америке?

— У него своя консалтинговая фирма. Квартира на Манхэттене.

— Интересно, а что мне там делать, на Манхэттене? Я, конечно, хочу ребенка, но...

— Фаина, с тобой невозможно говорить о таких вещах... Все тебе заранее подавай! Ты сперва взгляни на него и, кстати, покажи себя, а потом уж ищи работу в Нью-Йорке.

— Оно, конечно, так, однако надо же обдумать, стоит ли затеваться...

— О боже, эти современные бабы... Ужас просто.

По мере разговора с подругой у него вдруг резко поднялось настроение. Он почувствовал, что нашел ключ к сердцу Лали. По крайней мере ему так казалось. Известно же, прямой путь самый короткий и лучший. Вот он проводит брата, и тогда, устроив все дела, полетит в Мюнхен.

— Родька, ты чего замолчал? — напомнила о себе Фаина. — Ты согласен?

— На что?

— А я для кого тут развивала идею?

— Прости, я отвлекся... Так что за идея?

— Я предложила вам с братом в субботу приехать ко мне на обед.

— Фаин, а не слишком ли откровенно?

— Думаешь?

— Для первой встречи пожалуй надо что-то другое, полегче...

— Предлагай ты.

— Ну я не знаю...

— Вот так всегда! Сначала ты на меня давишь, а потом в кусты. Хотя... Я придумала. Давай в субботу иди с братом обедать в хороший ресторан, а я появлюсь там как бы случайно. Да не одна...

— А с кем? — испугался Родион, которого Фаина однажды пыталась свести со своей подружкой-уродиной.

— С Федякой.

Федяка был двоюродным братом Фаины.

— Вот это то, что надо! — обрадовался он. — Сразу появится желание отбить... Молодец, Фаина, я всегда знал, что ты умница.

— Конечно. Только не говори брату ничего. А я уж сумею пригласить вас к себе через пару дней.

— Отлично, Фаина! Договорились!

— Погоди, Родя, а может, у твоего братца совсем другие планы? Какая-нибудь старая любовь?

— Нет, ничего такого...

— Родя, а твой брат... он... похож на тебя? — дрогнувшим голосом спросила Фаина.

Этот дрогнувший голос не на шутку его напугал. Неужто она ко мне неровно дышит? Да нет, ерунда...

— Мне сложно судить, увидишь, сама решишь. Но одно могу сказать твердо. Он лучше меня.

— Чем это?

— Во-первых, на четыре года моложе, во-вторых, красивее, в-третьих, я полагаю, существенно богаче. В-четвертых, хочет детей...

— А ты не хочешь?

— Да нет, мне уж поздновато, да и вообще...

— Ну да, закоренелый холостяк. Какая гадость.

— Вот кстати пятый аргумент в пользу Тоника, он дважды был женат и у него есть опыт семейной жизни.

— Все, договорились. В субботу в три часа... Где?

— Предлагай ты.

— Давай что ли в «Мадам Галифе». Там вкусно, уютно, не слишком дорого.

— Согласен.

— Только пусть это будет внезапно.

— Договорились.

Вот и отлично, подумал Родион. Фаина ему понравится. Просто обязана понравиться. Замкну их друг на друга и прекрасно.

Уже улегшись в постель, он вдруг прошептал, сам себе удивляясь:

— Лали, неужто я скоро тебя увижу?

Родион не стал заказывать столик, рассчитывая, что свободные места в этот час всегда найдутся, но как назло ресторан был закрыт. Там готовились к большому банкету.

— Не страшно, тут рядом еще полно ресторанов. Пошли в «Фа-соль».

— Фасоль? — переспросил Платон.

— Ну, вообще-то «Фа-соль». Там по вечерам бывают дискотеки в стиле ретро. Раньше, правда, он назывался «Огород».

В «Фа-соли» народу в этот час было немного. Заснеженный Ботанический сад за окнами скрашивал более чем скромное оформление зала.

Интересно, Фаина сообразит прийти сюда? Нет, лучше послать ей эсэмэску.

— Ты пока посмотри меню, а я сейчас...

Он пошел в сторону туалета и быстренько отправил сообщение.

— Ну что?

— А что тут надо брать?

— Советую грибной суп в черном хлебе. Потрясающе вкусно.

— Что значит в черном хлебе?

— В выдолбленной половинке черного хлеба.

— Пожалуй...

Платон очень внимательно изучал меню.

— Выпьем? — спросил он.

— Увы, я за рулем.

— Ты же классно водишь. Давай хоть по сто пятьдесят. Смотри, тут в меню селедочка есть с картошечкой... М-ммм, — облизнулся Платон. Он все утро мотался по городу, продрог и здорово проголодался.

— Уговорил, — кивнул Родион, которому тоже хотелось выпить. Триста грамм на двоих здоровых мужиков ерунда.

— Ну, как тебе Москва?

— Мне нравится... Да, брат, а что с нашей дачей?

— Дачу я, извини, продал. Мне она ни к чему, а деньги были очень нужны, иначе я бы не смог отремонтировать квартиру. Я тогда совсем мало зарабатывал. Но если хочешь, я буду постепенно возвращать тебе половину стоимости.

— С ума сошел? Да плевать я хотел на эти деньги. Мне брат дороже.

— Но это несправедливо... Ты такой же сын...

— Нет, я не такой же сын... Я никудышный сын. Я кинул стариков... Забыл, можно сказать, а ты был им утешением на старости лет... Так что живи, брат, спокойно. Ты мне ничего не должен. И давай за это выпьем!

— Давай! Знаешь, я ужасно рад, что ты приехал.

— И я... А вот когда соберешься в следующем году отдыхать, приезжай ко мне, у меня есть небольшой апартмент во Флориде. Махнем на Атлантику...

— Это можно.

Они выпили, с наслаждением съели селедку с картошкой, обильно посыпанной укропом. Обоих охватило какое-то умиление.

— Родька, братик... Я только сейчас понимаю, как мне тебя не хватало...

— И мне тебя... Смешно, сидят два не первой молодости мужика, пьют и чуть ли не льют слезы умиления.

— Ба, кого я вижу! — раздался голос Фаины. Родион начисто забыл о ней.

— Какие люди! — воскликнул сопровождавший ее Федяка.

Первым чувством Родиона была досада. Они так хорошо сидели. Но положение обязывало. Он вскочил. Расцеловался с Фаиной, обнялся с Федякой.

— Ребята, страшно рад! Познакомьтесь с моим братишкой из Штатов. Платон Шахрин, прошу любить и жаловать. Тоник, это моя добрая подружка Фаина, а это Федор Смирнов. Каким ветром вас сюда занесло?

— Ну, ты же знаешь Фаину, хочу, говорит, в «Мадам Галифе», а там как назло банкет.

— Значит, наша встреча приобретает характер роковой неизбежности, — вдруг проговорил Платон. — Мы тоже туда намылились. — Он с явным одобрением разглядывал Фаину. Она была и впрямь очень хороша. Тоненькая, черноволосая, черноглазая, одетая по последней моде, с изумительным цветом лица.

— Родион рассказывал о вас, — обратился он к ней.

— Да? И что же он рассказывал? Наверное всякие гадости? С него станется, — она обласкала Платона веселым взглядом.

Кажется, я поступил правильно. А Фаина и впрямь красотка, даже с некоторым сожалением подумал Родион. А впрочем, нет, это не мое... Но Тонику она подходит. Разговор стал общим. В этот момент братьям принесли суп.

— О! — простонала Фаина, — обожаю этот суп. Федя, давай мы тоже его закажем?

— Давай, — добродушно согласился Федя.

— Родька, будь другом, дай мне крышечку пожевать, а то я умру от зависти, пока вы будете есть.

Но Платон тут же пододвинул к ней свой суп.

— Прошу вас! Вы с мороза, а мы уже заморили червячка. Ешьте. А я закажу себе еще.

— Ой боже мой, в Америке еще водятся джентльмены? Родька, помнишь конкурс на самую невероятную историю?

— Нет, не помню.

— Там один человек начал: «Один американский джентльмен...» А судья говорит: «Довольно, вы выиграли!» Но вы, Тоник, можно я буду вас так называть? Вы истинный джентльмен. Ах, как этого сейчас не хватает... Сейчас все такие грубые стали... Нечуткие... Ох, как вкусно...

Платон смотрел на нее с восхищением. Родион с Федором понимающе усмехнулись. Все складывалось как нельзя лучше.

Лали с утра до ночи пропадала в мастерской при магазине. Предрождественская торговля шла очень бойко. Иногда она сменяла за прилавком свою подругу и помощницу Ирму.

— Лали, что ты там убиваешься? У нас товар есть. Лучше помогла бы мне, я не успеваю...

— Ерунда, у нас очереди не стоят. Посмотри, какие бусы я сделала...

— Красиво... Я не думала, что такой эффект будет... Дай, я примерю. Нет, мне не идет, это для блондинок. Пустишь в продажу?

— Завтра... Может, я что-то еще поправлю...

— Не вздумай, вещь законченная, что там поправлять. Известно же, лучшее — враг хорошего.

— Чепуха. Я вот уже вижу ошибку, средняя бусина слишком яркая, а это неправильно, здесь не нужен такой резкий акцент, каждая хороша сама по себе, а эта отвлекает внимание на себя. Вот, взгляни... — Лали зажала бусину пальцем.

— А ведь ты права, так интереснее... Ну и глаз у тебя... — покачал головой Ирма. — Слушай, а Петя приедет на Рождество?

— Обещал. Да нет, конечно, приедет... И ты приезжай.

— Лали, но это семейный праздник...

— И что? Ближе тебя у меня теперь никого нет. Да и вообще...

— А Петя?

— Петя молодой, у него своя бурная жизнь, а я ее только порчу... Нет, Ирмочка, ты обязательно приезжай к нам.

— Ты еще кого-то позовешь?

— Нет, но Петя, возможно, привезет свою девушку...

— У него появилась постоянная девушка?

— Да. Ее зовут Анне-Лора.

— Они живут вместе?

— Ну да, как выяснилось. Вместе снимают квартирку.

— Ты ее уже видела?

— Нет пока.

— Как интересно...

В этот момент в магазин вошли двое покупателей. Русские, решила Лали.

Ее догадка немедля подтвердилась.

— Как красиво, — произнес очень пожилой мужчина, близоруко вглядываясь в развешанные по стенам украшения.

— Бижутерия! — презрительно фыркнула его спутница, ухоженная дама за шестьдесят.

— Но какая красивая. Посмотри, вот эта брошка...

Дама его не слушала, шаря каким-то, как показалось Лали, хищным взглядом по стенам и стеклянным витринам.

— А знаешь, пожалуй тут стоит кое-что купить...

Лали и Ирма переглянулись. Лали незаметно прижала палец к губам. Она хорошо знала эту породу. Услышав русскую речь, дама немедленно начнет жестоко торговаться, требовать, чтобы ей показали как можно больше, а в результате ничего не купит. Обе женщины лишь приветливо улыбались.

— Саш, скажи, чтоб показали вон те бусы! Тут модные штучки, купим Лильке, все дешевле, чем в ювелирном.

Мужчина на чудовищном английском обратился к Лали, обласкав ее взглядом бывалого бабника.

Лали встала на лесенку, сняла требуемое украшение, состоящее из серебряных шариков, похожих на ягоды ежевики. Заодно сняла и серьги из таких же ежевичин. И положила все это на дощечку, обтянутую винным бархатом. Бусы сразу приобрели другой вид, стали как-то теплее. Наверху они висели на темно-синем фоне.

— О, вот так они смотрятся куда лучше! — воскликнул мужчина. — Лена, смотри!

— Да, ничего... Но серьги для Лильки крупноваты, у нее личико-то с кулачок... Спроси, у них нет серег поменьше?

Мужчина на своем кошмарном английском пытался объяснить Лали, что это для его внучки, а жена ей не бабушка и относится к девочке весьма критично, а она на самом деле хорошенькая молодая девушка, но серьги, пожалуй, и впрямь великоваты.

Лали с сожалением покачала головой, но тут Ирма достала из стоящей у окна витринки другие сережки и показала даме. Та скорчила недовольную физиономию.

— Саш, спроси, можно купить бусы без сережек?

— Да, разумеется, — кивнула Лали.

— Вот и славно. Саш, попробуй поторговаться.

— Вот еще. Тебе надо, ты и торгуйся. Это и так недорого. Лилька будет в восторге. — И он решительно подал Лали золотую «визу».

.Лали упаковала бусы в красивый футляр, положила его в рождественский пакет с надписью «Лали» и добавила еще подарочную ручку тоже с надписью «Лали».

— Леночка, а ты не хочешь вот эти бусы, к серому платью очень красиво будет. — Он показал на довольно длинную нитку бус, где каждая бусина прозрачного стекла была обтянута черным кружевом.

— Да ну, я предпочитаю что-нибудь настоящее. Хватит мне бижутерию носить. Это для Лильки твоей подойдет, а мне неприлично.

— Ну, судя по цене, это кому угодно прилично носить, — усмехнулся мужчина. — Ладно, пойдем. Сэнк ю.

— Всего наилучшего, — на чистом русском ответила Ирма.

Мужчина покраснел.

— Ты зачем схулиганила? — со смехом спросила Лали.

— Уж больно баба противная.

— Это правда.

После русской пары покупатели шли непрерывно. Обе женщины едва успевали их обслуживать.

— Ирма, я завтра приеду к двум, у меня кое-какие дела, ладно?

— Конечно. Не волнуйся. Погоди, а что подарить Петьке на Рождество? И кстати, его девушке?

— Ну, про девушку я пока ничего не знаю, можно ограничиться конфетами, а Петька был бы рад хорошей рубашке.

— Под галстук?

— Да. Он обожает галстуки. Откуда это у него? Иваныч их ненавидел.

— Да, я, кажется за десять лет знакомства его ни разу в галстуке не видела.

— Все, я поехала.

К счастью, домой Лали добралась без пробок. Ее приветствовал огромный черный пес неопределимой породы по кличке Вир. Его щеночком подобрала Лали, когда они с мужем ездили на машине в Польшу. Очаровательное смешное мохнатое существо лежало в траве у деревенского магазина. Сколько она ни спрашивала у местных, чей это щенок, все только разводили руками.

— Иваныч, возьмем? — она с мольбой смотрела на мужа.

— Господи, конечно, такой миляга. Кстати, парень, — осмотрев щенка, заключил Георгий Иванович, которого теперь официально звали Георг Браун, но для жены он так навсегда и остался Иванычем.

Щенок был восторженно встречен Петькой. И поначалу ему дали кличку Черныш. Но он оказался на редкость шумным, о своем приближении возвещал издалека и однажды Иваныч, услыхав характерный шум, засмеялся:

— Вот, бежит, шумит Гвадалквивир!

— Тогда назовем его Вир! — решил Петя

Со временем шуметь он перестал, но Виром так и остался. Пес был отличным сторожем и другом.

— Ну, здравствуй, Вир! Как ты тут?

Пес ткнулся холодным носом ей в руку. Это значило — все в порядке, хозяйка.

Каждый раз, входя в дом, Лали чувствовала боль. Ей было трудно здесь одной, дом казался таким большим, пустым, а сама себе она казалась здесь какой-то лишней. Но при мысли продать дом, все ее существо восставало — этот дом для нее и Петьки создал Иваныч, здесь все напоминает о нем... Нельзя... Ничего, со временем я привыкну... Все так живут, нет, не все, но многие. Вот соседка, Лиана, развелась с мужем, две дочки выросли и ушли из дому, она тоже живет одна... Но, кажется, не тужит...

Она села в кресло у холодного камина. Надо бы поужинать, но неохота. Сил что-то совсем нет. Сегодня был тяжелый день... Но зато столько продали... Кстати, надо купить подарок Ирме. Но это несложно, куплю ее любимые духи «Черутти». А остальные подарки для женщины, которая приходит убирать дом, для соседки, для автомеханика Отто и все в таком роде, были куплены уже давно. Придется ведь готовить рождественский ужин... Второе Рождество без Иваныча... Теперь вся моя жизнь, как говорится, до гробовой доски, будет без Иваныча... Непереносимо... Но нельзя гневить Бога. Девятнадцать лет счастья... Мы действительно любили друг друга. По-настоящему... Всем, что я знаю и умею в этой жизни, я обязана ему. Он заставлял меня учиться, сам учил многому, настоял, чтобы у меня была профессия. Он как будто все предвидел... И думал прежде всего обо мне, о нас с Петькой... И этот дом... Мы недолго прожили в первой нашей крохотной квартирке. Вскоре после того, как я прозрела, он нашел квартиру получше и побольше, потом еще, а когда Петьке исполнилось десять, Иваныч посадил нас в машину и привез сюда. Как сейчас помню, он сказал:

— Вот, дорогие мои, это вам подарок от меня на Петькин день рождения. Маме и сыну. Новый дом.

Петька визжал от восторга, а я испугалась.

— Иваныч, ты с ума сошел!

— Почему? — нежно улыбнулся он.

— Но это же безумно дорого.

— Не дороже денег. Ты же знаешь, я продал два патента и в результате этот дом...

Иваныч уже через два года пребывания в Германии начал наконец строить мосты и туннели, в основном в Швейцарии и Австрии. Многие его предложения были высоко оценены. Правда, тогда он проводил с нами только выходные. Каждый раз, встречаясь после разлуки, мы минут пять стояли, обнявшись, молча, словно впитывая в себя друг друга. Помню, как-то Петька спросил:

— Пап, а почему вы с мамой так долго обнимаетесь?

Ему тогда было лет семь.

— А у нас это обмен информацией в ускоренном режиме. Чтобы не рассказывать друг дружке, что с нами было за эти дни, — с серьезной миной, но с озорным блеском в глазах объяснил отец.

— Но вы ж все равно потом разговариваете? — недоверчиво проговорил Петька.

— Это так, пустяки, а самое главное мы...

— Да ладно тебе, пап. Скажи просто, что вы соскучились.

— Вырастешь, Петя, узнаешь...

Лала и не заметила, как уснула в кресле.

— Родька, признайся, ты это подстроил?

— Ты о чем?

— Ты так подсуропил, чтобы Фаина пришла в этот ресторан?

— Да Боже избави! Зачем?

— Чтобы ее со мной познакомить?

— Тоник, перестань молоть чепуху! Просто люди одного примерно круга ходят в определенные рестораны.

— А она... ничего. Очень даже ничего.

— Это неверно, Тоник. Она классная!

— А что этот Федя?

— Федя? Хороший парень.

— А что у нее с ним? Роман?

— Да я не знаю, свечку не держал. Слушай, Тоник, послезавтра мы идем к ней в гости, вот и спросишь у нее.

Вечером, когда младший брат уже спал сном праведника, Фаина позвонила Родиону.

— Родька, ну что?

— Что что?

— Как будто ты не понимаешь... Как я ему?

— Очень и очень.

— Это он тебе сказал?

— Разумеется. А как он тебе?

— Супер и супер!

— Я душевно рад. И вот что, девушка. Возьми, насколько возможно, его на себя. У меня сейчас много дел...

— Каких дел?

— Всяких.

— Дела, в которых брат тебе помеха?

— Ну, не то, чтобы... Но его надо отвлечь от одной...

— От какой еще одной? — насторожилась Фаина.

— Вот! Как всегда, не дослушаешь и делаешь выводы! От одной темы.

— Что за тема?

— Это не твоего ума... Ох, прости. Я хотел сказать, это неинтересная для всех, кроме нас двоих, тема.

— Но это не женщина?

— Да нет!

— Точно?

— Точнее не бывает! — начал сердиться Родион.

— Ладно, к чертям эту тему. Скажи, Родя, а если у нас с Платоном сладится... тебе это не будет неприятно?

— Да с какой стати? Наоборот. Когда моя добрая подружка и мой родной брат прониклись друг к другу явной симпатией, я могу только радоваться. А если вдруг настолько спятите, чтобы пожениться... Что ж... Только чур, свадьбу играть в Москве.

— Какая свадьба? С ума сошел? — притворно рассердилась Фаина. — Скажи, а реально перетянуть его в Москву насовсем или лучше даже не пытаться?

— Пытаться ни в коем случае не нужно. Он обожает Нью-Йорк, но если любовь к тебе перевесит это обожание, то я буду только рад. Но сама даже не заикайся.

— Поняла. Вообще-то глупо рассуждать сейчас о таких вещах.

— Спорить не стану. Глуповато. Ну все, подруга, я спать хочу.

— Погоди.

— Что еще?

— Я собственно за этим и позвонила...

— Ну?

— Что мне приготовить? Что он любит?

— Да вроде все ест. А пироги с капустой просто обожает, а лучше пирожки.

— Поняла. Но испеку с мясом. Он с мясом ест?

— Ест, но почему не с капустой? — засмеялся Родион.

— Потому что ты любишь мои пирожки с мясом. А если я испеку с капустой, он может не так понять.

— Господи, какие же вы бабы...

— Ну какие? Какие?

— Хитромудрые.

— Надо же нам отличаться от вас, тупых и бесчувственных. Все. Спокойной ночи.

Что-то мне это все начинает не нравиться... Неужто Фаина имеет на меня какие-то виды? Да нет, вроде бы она в восторге от Тоника, но последняя фраза, похоже, относилась ко мне. Это я тупой и бесчувственный... А впрочем, это ее личное дело. И Тоник ей подходит в сто раз больше. А мне подходит в этой жизни только одна женщина. И я ее добьюсь. Несмотря ни на что. Смету все преграды.

И преграды не заставили себя ждать. В предрождественские дни достать билеты оказалось практически невозможно. Не говоря уж о гостинице. А там ведь еще и Новый год. Однако, если отложить поездку на первые числа Нового года, не факт, что магазин ее будет работать. Вряд ли после всех праздников будет спрос на ее товар. Вот перед праздниками она наверняка там днюет и ночует. Он терпеть не мог действовать через знакомых, но другого выхода не было. В результате билет ему достали на вечер двадцать пятого декабря. Это ничего, перед Новым годом торговля еще будет. Даже хорошо. Рождество праздник сугубо семейный, а вот Новый год в Европе не то, что у нас... там я смогу куда-то пригласить ее... Или просто погулять по городу, посмотреть праздничный фейерверк... да какая разница! Главное встретить с нею Новый год, тогда и весь год проведем вместе... И надо ей что-то подарить... Но что? Украшение? Ерунда, она сама их делает... Духи? Понятия не имею, что ей нравится. И вообще, это пошлые идеи, надо придумать что-то оригинальное... Но что? Это будет нелегко... Сколько он ни ломал голову, ничего путного придумать не мог. И надо было еще найти гостиницу. В турагентствах разводили руками.

— О чем вы думали, такие вещи надо заранее решать, — говорили ему.

— Ну хорошо, пусть не в Мюнхене, может, в пригороде где-нибудь... Или в соседних городках... — молил он

И, как оказалось, молил не напрасно. Ему вдруг позвонили:

— А вы не согласитесь на Гармиш-Партенкирхен? Один клиент отказался, он собирался кататься на лыжах, но сломал ногу...

— Это далеко?

— Около часа на поезде.

— Годится, — возликовал Родион.

Теперь оставался подарок.

Он позвонил Олегу. Они с Вавочкой всю жизнь изощрялись в придумывании подарков друг другу.

— Родька! — обрадовался Олег. После отдыха на Корфу они не виделись. — Приезжай к нам на Новый год. Хочешь один, хочешь с девушкой. Посмотришь на Настю...

— Олег, спасибо огромное, но я на Новый год уезжаю...

— Куда, если не секрет?

— От тебя нет секретов. В Мюнхен.

— К Лали? — ахнул Олег.

— Так сказать нельзя... Но я бы хотел... Короче, нужна твоя помощь.

— Чем могу, дружище...

— Что ей подарить? Я знаю, что вы с Вавочкой большие спецы в этом деле...

— Чудак человек, мы же друг друга знаем как облупленных, а тут совершенно незнакомая женщина... Но я согласен, надо что-то оригинальное... Духами или цацкой не отделаешься.

— Олег, пораскинь мозгами, умоляю!

— А Ваву можно подключить?

— Подключай и Ваву. Она же все-таки ее знает...

— По-твоему это так называется?

— А что?

— Она ее видела, не более того.

— Неважно, ты меня понял.

— Хорошо, я подумаю, вернее мы подумаем и я позвоню. Ну а в остальном как дела?

— Нормально. У меня сейчас гостит Тоник.

— Да ты что! Откуда он взялся?

— Из Штатов. Ностальгия.

— Понял... И ты хочешь его бросить одного в Москве?

— Да нет, он улетит двадцать третьего. Я свел его с Фаиной, и там, кажется, наклевывается большое светлое.

— Ты даешь, Родька. Ну, а еще что?

Ах, как хотелось Родиону рассказать старому надежному другу все о брате, Еве, о ребенке Лали, однако шевельнувшееся было желание он задавил в зародыше. Эта тайна должна навсегда остаться тайной.

— Олег, кто звонил? — заглянула к мужу Вавочка.

— Родька.

— Да? — обрадовалась она. — Ты бы пригласил его к нам на Новый год. Родька в компании просто незаменим.

— Нет, милая, он уезжает. По этому поводу и звонил.

— Не поняла.

— Знаешь, куда он едет? В Мюнхен.

— В Мюнхен? И что? Ой, погоди, он что, к этой Лали собрался?

— Именно! И просит нас с тобой придумать, чтобы такое оригинальное ей подарить.

— Ничего себе... Там все-таки случился роман?

— Да нет, он просто решил ее добиться...

— С ума сойти, как интересно! И что он в ней нашел?

— А помнишь, что я тебе говорил до его приезда? И кстати, мы тогда еще поспорили на торт, ты мне его задолжала.

— Перебьешься, тебе вредно.

— Вот так всегда, верить женщине — последнее дело.

— Значит, надо придумать подарок для этой задаваки...

— Да, — не стал спорить с женою Олег.

— Легко сказать... Я ж ничего в сущности о ней не знаю...

— Ну почему? Мы знаем, что она из Москвы, эмигрировала лет двадцать назад, с тех пор в Москве не была...

— Все. Я придумала! Надо ей подарить роскошный альбом с видами современной Москвы.

— За что ты так ее не любишь? — засмеялся Олег. — Сама же ненавидишь подарочные альбомы...

— О, тогда знаю. Оренбургский платок.

— Вава!

— Тогда думай сам. Тебе же она нравилась, вот и придумай, что подарить этой фифе...

— Я, кажется, знаю...

— Ну-ка, интересно.

— Ты думала в правильном направлении. Только надо подарить не альбом, а одну штуку, я буквально вчера видел, кажется, это делают на заказ...

— Олег, да говори же!

— Я видел огромную, пятиэтажную коробку конфет с видами Москвы. Каждый этаж — другие конфеты и другие картинки.

— Воображаю, сколько это стоит.

— А это уже Родькина проблема. Но как вариант годится. К тому же это никак не скомпрометирует даму и ни к чему ее не обяжет.

— Ох какой ты тонкий!

— Да, я такой...

— А ты можешь узнать, где эти коробки берут, а то я что-то таких никогда не видела.

— Узнаю, если Родька одобрит идею.

— Тогда звони ему. Хотя постой, Олежек, скажи, неужто Родька всерьез в нее втюрился?

— Похоже на то.

— А шансы у него есть, как думаешь?

— А почему нет? Родька же такой обаятельный.

— А ты видел его когда-нибудь всерьез влюбленным?

— Пожалуй, нет. Хотя, кто знает...

— Ну, звони!

Когда Олег изложил другу свое предложение, Родион сперва был разочарован, но потом проникся идеей.

— А что, Олег, это же может быть и общим подарком для матери и сына, то есть получится вполне тактично. Ну и еще я куплю цветы...

— Послушай, Родька, а что если она тоже куда-нибудь мотанет на Новый год? Ты бы позвонил.

— Нет, куда она мотанет? Наверняка, будет до упора торговать своими украшениями, самый новогодний товар.

— Наверное, ты прав. Ах, я тебе даже завидую. Мюнхен на Рождество... Такой город! Мы в позапрошлом году всей семьей ездили. Чудо!

— Вот и здорово.

— И хорошо, что ты один едешь. А то мои бабенки, что одна, что другая, беспрерывно бегали по распродажам.

— Нормально. Вполне естественно для женщин, — засмеялся Родион.

— А я бесился.

— Ну и зря. Это у них третичный половой признак.

— Третичный? — расхохотался Олег. — Слушай, Родька, я чего вспомнил...

— Ну?

— Она обожает вишни.

— Кто?

— Лали твоя. Сам слышал, как она говорила, что больше всех фруктов и ягод любит вишни.

— Где ж я возьму ей вишни зимой?

— Ну, может, в Мюнхене и не найдешь, а в Москве, если поднапрячься, наверное можно найти или заказать...

— Да нет, пока довезу... А в Мюнхене посмотрю, хотя вряд ли... Зимой только черешню можно найти. И вообще не хочу вязаться с фруктами. Всегда помню рассказ О'Генри «Персик». Помнишь?

— Смутно.

— Ну, там молодая жена захотела персик, муж метнулся мухой, встал на уши, чудом добыл персик, а она сказала, что хотела апельсин.

— Слушай, Родька, надо бы повидаться, а то как-то не по-людски...

— Все понимаю, Олежек, но пока здесь брат...

— Брат уедет двадцать третьего, я правильно понял?

— Да. А я двадцать пятого вечером.

— Отлично! Я берусь достать тебе эту чертову коробку конфет...

— Олег, ты настоящий друг! Давай тогда договоримся, что двадцать третьего я провожу брата и мы где-нибудь пересечемся. Пообедаем или поужинаем. И хотелось бы с глазу на глаз.

— Тогда, значит, пообедаем, — хмыкнул Олег.

— Понял. Цепи Гименея.

— Да уж Цени, друг, свою свободу.

— Я ценю, но не уверен, что с прежним энтузиазмом.

— Ладно, я как куплю эти конфеты, тебе позвоню.

Вечером, вернувшись из редакции, Родион застал брата за странным занятием — тот, сидя на полу в прихожей, рядом со стремянкой, копался в большой картонной коробке, в которую перед ремонтом Родион сложил все вещи брата, кроме одежды, разумеется. Ее он просто отдал племяннику Валентины Ивановны.

— Привет, что ты тут ищешь? — удивился Родион.

— Да так, кое-какие тетрадки, фотографии. Ты из секретера ничего не выбрасывал?

— Я же тебе сказал, что все сложил в этот ящик.

— Скажи, а давно был ремонт?

— Да уж лет пять как. А в чем дело?

— Понимаешь, я хочу найти свой дневник...

— Ты вел дневник?

— Да.

— А зачем он тебе понадобился?

— Хочу сопоставить кое-какие даты...

— Какие даты?

— Неважно. Ага, вот он! Спасибо, Родька, что не выбросил.

— Не за что. Только, пожалуйста, убери все тут, я терпеть не могу беспорядка.

— Да уберу! Главное, я нашел.

— Ты ужинал?

— Нет, тебя ждал.

— Спасибо, конечно. А что, с Фаиной вы сегодня никуда не собираетесь?

— Да нет...

— Что, большое и светлое не состоялось?

— Да нет, мне, Родька, кажется, что ей нужен вовсе не я, а ты.

— Глупости какие! С чего ты взял?

— Ну, я уж не самый большой идиот в подлунном мире.

— А кто самый большой идиот в подлунном мире? Я?

— Похоже на то, брат.

— Что ты хочешь сказать?

— Да она же тебя любит...

— Как друга!

— Ага! Как же!

— Ерунда все это! Ты просто мнительный.

— Неважно, но я не хочу...

— Не хочешь, не надо. Никто тебя ни к чему не принуждает. Пошли ужинать.

— Пошли.

— Выпить хочешь?

— Да нет, наверное.

— Нет так нет.

— Хотя лучше выпить. Но не водки, а коньяку.

— Давай.

— Родька, скажи, а у тебя есть адрес Евы?

— Что? — поперхнулся Родион.

— Адрес Лали. Или хотя бы ее фамилия.

— Нет. Ни адреса, ни фамилии. А зачем это она вдруг тебе понадобилась? — проглотив комок в горле, спросил Родион.

— Я хочу найти ее.

— Зачем?

— А тебе не все равно? Ты даже адреса ее не знаешь и фамилии... Вряд ли на что-то рассчитываешь... Или я не прав?

— Стопроцентно прав, или как сейчас говорят, стопудово.

— Так какая тебе разница, зачем она мне понадобилась?

— Никакой. Просто я ничем не могу тебе помочь в поисках твоей Евы.

— Ты, кажется, сказал, что она живет в Германии?

— Да. Но это все, что мне известно. Ни город, ни...

— А ты ее сына видел?

— Да. А что?

— А то, что это, скорее всего, мой сын.

Родион похолодел.

— Да чушь. С чего ты взял?

— Не знаю. Просто чувствую.

— Дорогой мой, этого мало.

— Расскажи, какой он? Он на меня не похож?

— Да ни капельки. Красивый парень, светло-русый. А больше я ничего сказать о нем не могу. Да ерунда это все, Тоник. Ты вообще невесть что тут напридумывал: и Фаина любит меня, и сын Лали твой... Пьешь тут многовато...

— Родька, ты правда не знаешь ее координат?

— Клянусь тебе. — Родион на всякий случай скрестил пальцы под столом, хоть вовсе не был суеверен.

— А в каком отеле вы останавливались на Корфу?

— А это зачем?

— Там наверняка есть и ее фамилия и какие-то еще данные. Сделаю запрос.

Родион назвал другой отель, совсем неподалеку.

— Отлично. Приеду домой и займусь поисками.

— Конечно, это ты молодец, умно придумал, мне и в голову бы не пришло, — покривил душой Родион.

— Слушай, я тогда в первый вечер так напился...

— И что? До сих пор не оклемался?

— Просто я плохо помню наш разговор... Ты вроде говорил, что у тебя с ней были шуры-муры?

— Увы, брат, ты ошибаешься, ни шур, ни мур, ничего. Просто она мне понравилась, красивая грустная женщина. Я хотел развеять ее грусть, но она этого желания не разделила. Только и всего. А что это ты вдруг на прошлом зациклился?

— Знаешь, я уверен, что это мой сын.

— Ну, если уверен, найди ее, сделай генетическую экспертизу и вперед! — едва сдерживая бешенство, проговорил Родион. — Хотя это так глупо...

— Почему глупо?

— Потому что даже если ты явишься к парню, он может отказаться делать экспертизу, на кой ты ему сдался через столько лет? Он обожал своего отца, который его вырастил и воспитал, даже профессию выбрал отцовскую, и вдруг ему на голову сваливается какой-то хрен с горы и заявляет, что он его отец. Какой ты отец?

— Биологический!

— А если выяснится, что нет? Вот ты будешь выглядеть! Дурак дураком! А скорее всего именно так все и будет.

— Я для начала поговорю с Евой.

— Да она опять пошлет тебя, как уже однажды послала.

— Не факт.

— Да факт, факт! Зачем ты ей сдался через столько лет?

— Родька, ты чего так бесишься?

— Меня действительно всегда бесит, когда люди с кондачка, чего-то напридумав себе, лезут в чужую жизнь... Откуда ты знаешь, что не испортишь отношения Евы с сыном? Кстати, если помнишь, даже когда родители полезли в мою жизнь, я этого не стерпел, хотя как показало доигрывание, были правы они, а не я. Но это была моя жизнь.

— А если это мой сын?

— Да какой там сын? Случайный сперматозоид, не более того.

— Нет, я любил Еву!

— А она тебя — нет!

— Это неизвестно еще, что там такое было... Вот я и хочу выяснить...

— Тоник, ты, разумеется, сделаешь так, как сочтешь нужным, однако, я, на правах старшего брата, хочу тебя предостеречь.

— С какой стати? Это моя жизнь. А ты хочешь вмешаться в нее. Но я не желаю.

— И все-таки... Не стоит тебе туда лезть. Тебе нужен сын? Да женись на Фаине, она родит тебе сына и воспитывай его, расти, балуй, это хоть осмысленные действия, созидательные, по крайней мере. А в случае с Петей — это разрушение в чистом виде, а особенно, если он не твой сын. К тому же, помнится, твоя Ева была девушкой порядочной, честной. Вероятно, забеременей она от тебя, не стала бы скорее всего скрывать.

— Ерунда, она же со мной так и не объяснилась, действовала через маму...

— И все же мой тебе совет — подумай хорошенько, прежде чем что-то предпринимать.

— Хорошо, я подумаю. А ты, Родя, стал редким занудой.

— Извини, какой есть. Ладно, я устал, а мне еще надо сделать несколько звонков и дописать статью. Посуду убери, ладно?

Между братьями пробежала большая черная кошка, скорее даже, пантера.

В оставшиеся дни они старались как можно меньше общаться. Родион с утра уезжал в редакцию, тем более, что там сдавали номер. Вечером, когда он приезжал домой, брата не было. Он возвращался очень поздно.

Но, как известно, нет худа без добра. У Родиона появился вполне конкретный повод для визита к Лали. Как говорится, кто предупрежден, тот вооружен. Он предупредит ее о намерениях брата... И она будет ему благодарна... А, может, наоборот, пошлет куда подальше, скажет, что это все не его дело... Ладно, будь что будет. А еще он опасался, что брат уже что-то нарыл и поменяет билет. Полетит не в Нью-Йорк, а в Мюнхен.

Внешне они держались весьма дружелюбно, однако искренности первых дней уже не было.

Накануне отъезда брата, Родион рассеянно спросил:

— Тоник, в котором часу у тебя самолет?

— В семь утра. Может, не стоит тебе ехать? Я закажу такси...

— Еще чего! Все равно ведь проснусь. Нет уж, братишка, я тебя встречал, мне и провожать. И не обижайся на меня. Наверное, во мне взыграли родительские гены... Извини. Это и впрямь не мое дело.

— Да ладно... Не бери в голову. Все хорошо.

— Что хорошо? — с замиранием сердца спросил Родион.

— У меня все хорошо.

— А у Фаины? — улыбнулся Родион, чтобы перевести разговор.

— У Фаины? Надеюсь, у нее тоже все в порядке, но это не мой кадр.

— Жаль, а я думал...

— Увы, брат.

Платон развел руками. Ничего, мол, не поделаешь.

— А ты бы сам разул глаза... Она прелесть и была бы отличной женой и матерью, несмотря на этот ее стиль неглиже с отвагой.

— Тоник, мы, кажется, уже договорились, не давать друг другу советов по поводу личной жизни.

— Прав. Прав. Но ты все же приедешь ко мне?

— С удовольствием, — покривил душой Родион.

— Вот и славно.

Родион отвез брата в Шереметьево, убедился, что он действительно летит в Нью-Йорк, они обнялись на прощание.

Родиону показалось, что с плеч свалилась огромная тяжесть. Но тут же пришла в голову мысль: если, паче чаяния, у нас что-то получится с Лали, брат может все испортить, он будет в бешенстве. И я его потеряю. Что ж получается, я должен выбрать между братом и любимой женщиной? Тогда я выбираю женщину. «Брат мой, враг мой» вспомнил он старый роман, кажется, американский, читанный в далекой юности. Он совершенно не помнил содержания, только название... Брат мой, враг мой... На душе было муторно, как будто он предал брата. Да ерунда, у Тоника это просто каприз... А я ее люблю... Он впервые так четко сформулировал для себя это чувство. Стало чуть легче. Любовь многое оправдывает. И я же хочу защитить ее. От всех, в первую очередь от брата.

Отвратительное настроение прервал звонок Олега.

— Родь, ну, я купил конфеты.

— Спасибо тебе, дружище. Давай в два часа встретимся...

— Лучше в полвторого, иначе я не успеваю...

Лали была в магазине, когда позвонил Петя.

— Господи, что у тебя с голосом? — испугалась она.

— Мам, я что-то разболелся, — прохрипел он. — Кашель, температура...

— Высокая?

— Да.

— Я приеду.

— Мамочка, не надо. Я лежу, Анне-Лора меня лечит, не волнуйся, просто я, скорее всего, завтра не смогу приехать.

— Конечно, даже не вздумай!

— Мамочка, что ж ты одна будешь в сочельник?

— Нет. Мы с Ирмой...

— Мама, ты не расстраивайся, — он надсадно закашлялся.

Трубку взяла Анне-Лора.

— Фрау Браун, вы не волнуйтесь, я хорошо умею ухаживать за больными. Петер все время будет под присмотром.

— А вы уверены, что у него не пневмония?

— Нет, мой брат врач, он сегодня смотрел Петера, слушал легкие, у него бронхит... Брат назначил лечение. Не волнуйтесь, прошу вас.

Голос у девушки был приятный, нежный.

— Хорошо. Смотрите за ним хорошенько. Он, пока ему совсем плохо, покладистый, а чуть получше станет, с ним уже трудно будет справиться.

— Спасибо, фрау Браун, что сказали. Да, я уже сделала ему большую кружку чаю с лимоном. Он сразу сказал, что вы всегда ему на тумбочку ставили чай с лимоном, когда он болел.

— Спасибо, Анне-Лора, я очень хочу познакомиться с вами.

Лали вернулась к прилавку.

— Что-то случилось? — тихо спросила Ирма.

— Да. Петька заболел. Бронхит. Кашляет жутко.

— Значит, завтра не приедет?

— Нет. Зачем? Пусть отлежится. Эта девочка за ним ухаживает. Знаешь, у нее очень приятный голос.

— Значит, будем отмечать Рождество вдвоем?

— Значит, вдвоем. В этом тоже есть своя прелесть. Ты не находишь?

— Нахожу. По крайней мере, тебе не надо будет корячиться у плиты. Много ли нам с тобой нужно?

— Да, я как-то об этом не подумала. Вот и хорошо. Хотя что-нибудь я все же приготовлю!

— Не вздумай! Купим что-нибудь вкусное, откроем бутылочку вина... У меня, кстати, есть бутылка русского шампанского и баночка икры. И поедем завтра вместе. Если ты не против, я и послезавтра у тебя останусь, хоть отосплюсь... А двадцать шестого вместе вернемся. Перед Новым годом покупателей должно быть много. А у тебя елка есть?

— Во дворе.

— Ну да, да. А давай еще веточки купим...

— Давай...

Лали была рада, что в Рождество не останется совсем одна. С Ирмой можно и болтать без умолку и молчать...

Двадцать четвертого они торговали до двух часов, потом перекусили в ближайшем кафе, купили кое-что на вечер.

— Ирма, ты свою машину оставь. Поедем на моей и вернемся тоже. Зачем зря гонять?

— Верно.

Ирма немного опасалась, что Лали безумно расстроится из-за отсутствия сына, но она если и расстроилась, виду не подавала. Кажется, она все-таки уже оправилась от внезапной смерти обожаемого мужа. Первые месяцы казалось, что она просто не сможет без него жить. Но время все равно берет свое. Единственное, что напоминало о потере — застывшая в глазах грусть, которая придавала ей какое-то особое хрупкое очарование. Мужчины заглядывались на нее. Ничего, еще немного и она снова выйдет замуж, думала Ирма.

Сама она только в прошлом году развелась с третьим мужем и даже подумать не могла о новом замужестве. «Я сыта по горло! С меня хватит, — говорила Ирма. — Теперь никаких мужей, никаких прочных связей, так, мимолетные секс-эпизоды, не более того. Организм еще жив, а душу эти скоты уже убили».

Вечером подруги накрыли стол, украсили еловые ветки, нарядились и вдвоем уселись у горящего камина, хотя обычно праздники в этом доме встречали в небольшой, но уютной столовой.

— Ну, подружка-атеистка, с Рождеством Христовым, хотя видит его отец, Господь Бог, что к нам этот праздник в сущности отношения не имеет. Мы ж из России, там раньше вообще этого праздника как бы и не было, а теперь отмечается седьмого января... Но уж коль скоро мы тут живем волею судеб, почему ж не попраздновать, тем более это такой красивый праздник... Давай что ли выпьем?

— Ну ты и болтушка, Ирма, — улыбнулась Лали.

Они выпили.

— Знаешь, Иваныч тоже всегда немного смущался... Хотя любил этот праздник, особенно, когда мы сюда переехали. Я его как-то спросила, еще в Москве: «Иваныч, ты что, в Бога не веришь?» А он ответил: «Я верю только в судьбу. Вот она послала мне тебя, ты стала моим счастьем и избавлением. Я жил как-то зло, лелеял мысль о мести жене, ненависти во мне много было, а вот встретил тебя... и как отрезало...»

— Лали, а у тебя есть фотографии молодого Иваныча? Ой, прости, я дура... Прости...

— Нет, Ирма, спасибо, что ты спросила... Мне иногда хотелось посмотреть эти снимки, но я боялась... А сейчас вдруг почувствовала, что наверное уже смогу, тем более, что он там совсем другой. У меня мало этих снимков... Я сейчас...

Ирма нещадно ругала себя. Теперь Лали расстроится, еще чего доброго плакать начнет... Вот дурища паршивая, и кто меня за язык дергал?

Вернулась Лали с небольшим альбомом.

— Вот!

— Лали, может, не стоит?

— Стоит. Я даже хочу... Вот смотри, эта наша первая общая фотография. Накануне свадьбы.

Фотобумага была скверного качества, снимок черно-белый. На нем юная красавица с толстой косой и рядом казавшийся скорее ее отцом немолодой мужчина с улыбкой во весь рот, некрасивый, но, по-видимому, очень счастливый. Оба одеты совсем плохонько, даже убого.

— С ума сойти... Какой он тут... Я когда его первый раз увидала, это был такой интересный, жутко респектабельный мужчина, уверенный... Как ты его разглядела-то?

— С первого взгляда.

У Лали блестели глаза, на щеках выступил румянец.

— Расскажи, — попросила Ирма.

Лали рассказала. Видимо, этот разговор, как ни странно, доставлял ей удовольствие.

— С ума сойти... Вот прямо так — увидала пожилого зэка...

— Ирма, ему было столько, сколько нам сейчас.

— Но тебе-то он показался пожилым?

— Даже старым.

— И прямо вот так сразу его захотела?

— Да. И он тоже. Мы потом много об этом говорили...

— И тебе сразу с ним понравилось? С первого раза?

— Не то слово... Я знаю, теоретически в этом возрасте у девочек редко так бывает, но я просто с ума сошла... И он...

— А я только в двадцать семь лет что-то расчухала. Знаешь, мне всегда казалось, когда я видела вас вместе, что вы как первовлюбленные...

— Так и было... нам было вместе так хорошо... Мы с ним ездили в день нашей свадьбы куда-нибудь, где можно побыть вдвоем, и вот на пятнадцатилетие поехали в круиз по Карибскому морю. Он подарил мне вот эти сережки и сказал: «Девочка моя, я даже не смел рассчитывать, что наша любовь будет такой долгой и счастливой... И не только любовь, но и страсть... Я сейчас хочу тебя не меньше и не реже, чем в наш первый год. Видно, мы с тобой то самое исключение, которое подтверждает правило...»

— И он тебе ни разу не изменил?

— Я, во всяком случае, ничего об этом не знаю... Может, когда-нибудь и трахнул кого-то мимоходом... когда работал в Швейцарии... Он же тогда пять дней проводил на объектах, к нам приезжал на выходные только... Но я ничего не замечала, он приезжал такой изголодавшийся по мне... Хотя, не скрою, у меня подобные мысли возникали, я была очень внимательна, но ничего, никогда...

— А ты ему изменяла?

— Я? Боже сохрани. Мне никогда никто не был нужен, к тому же Иваныч был ревнивый...

— А ты подавала поводы?

— Ему не нужны были поводы. Если он видел, что кто-то на меня не так посмотрел, готов был убить. Он любил меня по-настоящему. Думал о будущем. Понимал, что может раньше уйти... Знаешь, говорят, счастье эгоистично. Он был счастлив, я знаю, но эгоистом не был... Я была, а он нет...

— Получается, что твой Иваныч был идеалом мужчины?

— Мне практически не с кем его сравнивать, но для меня — да.

— Он был у тебя первым и единственным?

— Нет, был до него один... Но там и говорить-то не о чем. Мне казалось, я в него влюблена, даже замуж собиралась... В институте за мной многие приударяли, но мне никто не нравился, меня считали гордячкой и холодной стервой, а один парень, которого я отшила, прозвал меня «девственной селедкой». А знаешь, почему я сбежала с Корфу?

— Знаю твою версию.

— Это чепуха. Нет, Ирма, дело в другом. Там я встретила одного человека...

— Я вся внимание.

— Он жил в соседнем номере... И сразу стал за мной ухаживать... Он был приятный, очень привлекательный...

— Русский?

— Да.

— И что? — затаила дыхание Ирма.

— Ничего. Я сказала ему, что люблю мужа. Вернее, память о нем... Он понял, был более чем деликатен. Но один раз мне было очень плохо, я сидела на берегу, он увидел, подошел, предложил помощь, и я... Я пригласила его выпить чаю у меня на террасе... Он был так внимателен, скромен, но я же видела... он в меня влюбился... И я испугалась... А утром уехала...

— У вас так ничего и не было?

— Что ты! Я даже подумать не могла...

— Нет, ты сама себе врешь. Очень даже подумала. Потому и сбежала. Ну и дура. Сколько тебе лет? Собираешься до гробовой доски хранить верность Иванычу? Глупо. Я уверена, что сам Иваныч этого не хотел бы.

— Не хотел, — кивнула Лали. — Мне Петька сказал, что отец ему говорил, когда они рыбачили в Норвегии, — если со мной что-то случится, пусть мама чувствует себя свободной. Кстати, Петьке этот мужик очень понравился.

— Так почему ж ты сбежала? Он же не стал бы тебя насиловать.

— Нет, но просто он... Понимаешь, он оказался старшим братом Платона, ну того... моего первого...

— Да хоть бы братом Сократа, какая разница? Он тебе нравился?

— Платон?

— Да нет, брат, как его, кстати, зовут?

— Родион. Нравился, но я... я боюсь.

Ирма очень внимательно на нее посмотрела.

— Лали, я не поверю, что ты испугалась переспать с понравившимся мужиком... Тем более что со смерти Иваныча прошло уже почти два года. Тут что-то другое... Слушай, ты, конечно, можешь не отвечать, но я, кажется, знаю, в чем дело.

— Да? — каким-то ненатуральным голосом спросила Лали.

— Я, конечно, в генетике не специалист, но мне сдается, что если у отца и матери глаза голубые, а у сына карие, то тут не обошлось без заезжего молодца... Так? И этот молодец Платон?

— Ирма! — смертельно перепугалась Лали.

— Значит, я права... А Иваныч знал?

— Господи, конечно. Я как узнала, побежала к нему. Плачу, убиваюсь, мол, ты меня бросишь... Я аборт сделаю... А он смеется. Дурочка, говорит, я тебя люблю, и по-любому это наш ребенок будет. И никогда больше эта тема у нас не возникала. Как он Петьку любил, ты сама видела.

— А что ж ты ему-то не родила еще?

— Он боялся, я ж тогда ослепла... А я так хотела, но он ни в какую. Я все-таки забеременела, но у меня выкидыш был... Ну и все... Ирма, но ты понимаешь, что...

— Что об этом не должна знать ни одна живая душа? Прекрасно понимаю. На меня можно положиться... Да, подруга, это надо же... встретить мужика, который оказался братом... А он ничего не заподозрил?

— Да откуда? Платон знал, что меня зовут Ева. Я по молодости и дурости стеснялась своего имени, Евлалия, мне казалось это имя каким-то деревенским... А Родион знает меня как Лали Браун. Так что...

— А он тебе здорово понравился, этот Родион?

— Понравился.

— Больше, чем брат?

— Понимаешь, в свое время мне и Платон нравился, просто я встретила Иваныча... Но Родион мягче, он другой, он внимательный... А Тоник этим не отличался, правда, он был еще совсем молодой, избалованный...

— А ты что, с братом тогда не познакомилась?

— Нет.

— Да, подруга, жаль...

— Чего?

— Жаль, что романа не получилось. В наше время встретить мужика, который понравится, да еще внимательного... Впрочем, до поры до времени они все внимательные, черт бы их побрал!

Они еще долго болтали, а потом пошли спать. Встали поздно, весь день, благо погода была отвратительная, валялись на пушистом ковре в гостиной, смотрели фильмы, слушали музыку, пили пиво с орешками, словом, отдыхали.

Вечером Лали приготовила еду для Вира, но его нигде не было.

— Вир! Вир! — звала она. Но пес не откликался.

Лали не на шутку встревожилась.

— Не волнуйся, какая-нибудь течная сучка пробежала, ну он за ней и дунул. Догонит, позабавится и прибежит жрать.

— Понимаешь, он еще ни разу не удирал.

— Ты не можешь этого знать. Когда ты уезжаешь с утра и возвращаешься поздно вечером, он вполне может куда-то бегать и возвращаться к часу кормежки.

— Вот сейчас и есть час кормежки... Вир! Вир! Нет, я пойду его искать.

— Я с тобой!

Они оделись, вышли за ворота.

— Вир! Вир! — звала Лали.

— Да вон он бежит! Или это не он?

— Он! Слава богу! Смотри, он что-то держит в зубах!

— Мамочки, да это ж котенок!

— Вирушка, что это?

Пес подбежал к хозяйке и с гордым видом положил к ее ногам свою добычу.

— Ой, а он жив? — присела на корточки Ирма.

Крохотный котенок пискнул.

— Живой! — Лали схватила котенка на руки. — Ирма, смотри, какой... Вирка, где ты его нашел? Он совсем мокрый, ты его обслюнил всего... Пошли скорее домой, а то он простудится.

— Если уже не простудился. Дай, я его за пазуху суну.

Ирма действительно сунула котенка за пазуху. Но Виру это категорически не понравилось. Он начал громко лаять.

— С ума спятил? Так я тебе и отдала. Ты его сожрать небось хочешь? Показал хозяйке добычу, погордился, а теперь сожрешь?

— Ирма, ты не понимаешь. Он принес мне, а ты забрала. Это не годится. Отдай котенка мне и все будет в порядке.

— Попробуем. Держи.

Как только котенок оказался у Лали, Вир успокоился и потрусил домой.

— Обалдеть! Вот как стоит на страже твоих интересов. Молодец!

Дома они первым делом осмотрели котенка, нет ли каких повреждений. Нет, котенок был цел и невредим. Его вытерли насухо, и дали теплого молочка. Он лакал жадно, с урчанием.

— Его бы помыть... — сказала Ирма.

— Нет, сейчас не надо. Он и так столько пережил, такой маленький, а его здоровенный вражина в зубах тащит... Завтра помоем.

— А как ты его оставишь?

— Да так и оставлю. А что я могу?

Лали принесла большое махровое полотенце, сложила на ковре у уже потухшего, но еще отдающего тепло камина, устроила что-то в виде гнездышка, уложила туда найденыша и прикрыла кончиком полотенца.

— Вот, пусть спит.

Но тут явился Вир. Откинул носом полотенце и принялся вылизывать котенка. Обе женщины замерли.

— Кажется, он его усыновил, — засмеялась тихонько Ирма.

— Похоже на то.

Вылизав малыша, Вир осторожно прихватил его зубами за шкирку и понес на свою подстилку в прихожей.

— Вот так! Это теперь его собственность.

— Слушай, а ведь это здорово! Что-то хорошее тебе твой Вир принес...

— Конечно, хорошее, маленький рыжий котенок.

— Нет, это у тебя что-то хорошее случится.

И впервые со дня смерти мужа Лали подумала, что в ее жизни еще может случиться что-то хорошее.

Очаровательный альпийский городок Гармиш-Партенкирхен тонул в мокром снегу. И хотя от гостиницы, где поселился Родион, до вокзала было не так уж далеко, но когда он садился в поезд, джинсы внизу были насквозь мокрыми. А снег продолжал валить, и создавалось такое впечатление, что его никто не собирается убирать. Вот тебе и Германия с ее хваленым порядком. А может, все еще празднуют? На вокзале он купил карту Мюнхена и обнаружил, что улица, где находится магазин Лали, совсем недалеко от вокзала, но он все же решил взять такси. Джинсы так пропитались влагой, что за час в поезде не высохли. Но когда он вышел с вокзала, то обнаружил, что улицы чистые, сухие и он в своих мокрых джинсах выглядит не так уж авантажно, во всяком случае не для визита к женщине своей мечты. Ничего, зайду в первый попавшийся магазин и куплю другие джинсы. Тоже мне проблема. И эта простая мысль вдруг доставила ему огромное удовольствие. Он ощутил себя совершенно свободным и даже счастливым. Показалось, что все получится. Шел, куда несли ноги. Посмотрел, что за улица. Шиллерштрассе. И вдруг решил испытать судьбу. Перед ним был небольшой, но симпатичный с виду отель. Зайду, спрошу, нет ли номера. Если внезапно повезет, тогда и с Лали будет все хорошо. Мысль о возвращении на поезде в заваленный снегом Гармиш, была противна. Он вошел. В маленьком холле за стойкой портье никого не было. Он взял из вазы на стойке конфетку, сунул в рот, она оказалась упоительно вкусной. И тут появилась приятная дама средних лет. Портье. Она улыбнулась ему. На ломаном немецком он спросил номер. И, о чудо!

— Да, есть номер. Вам надолго?

— На девять дней.

— То есть вы уедете третьего?

— Да.

— Прекрасно, — улыбнулась ему дама. Улыбнулась очень благосклонно. Видно, он понравился ей. Он умел нравиться.

— Вы как будете платить? Наличными или карточкой?

Он протянул ей карточку. Господи, неужели может так везти? Перед Новым годом, в Рождественские каникулы?

— Это все ваши вещи? — она показала глазами на пакет с гигантской коробкой конфет.

— Нет, мои вещи остались в Гармише... — он объяснил ситуацию. — Я завтра туда съезжу.

— А в каком отеле вы там остановились?

Он назвал.

— Ничего страшного. Я сейчас же свяжусь с ними, они пришлют ваши вещи и вернут часть денег.

— Благодарю вас, вы невероятно любезны.

— Но завтрак вы уже пропустили.

— Я завтракал в Гармише, спасибо. Вы не скажете мне еще, где я мог бы купить себе брюки?

— О, это не проблема! — засмеялась дама. На листке бумаги нарисовала план и вручила ему ключ от номера.

— Простите, а как мне к вам обращаться?

— Фрау Марианна.

— Очень приятно. Скажите, а когда доставят мои вещи?

— О, в лучшем случае завтра во второй половине дня. Я сожалею, но...

— Ничего, я куплю все необходимое.

— Ну, кое-что из необходимого вы найдете в номере.

Он поднялся на третий этаж. Номер был небольшой, но уютный и очень удобный. В ванной комнате действительно нашлось многое из того, что нужно человеку. Зубная щетка, паста, тапки, халат, расческа и даже бритвенный станок и крохотный тюбик пены. Отлично, до завтра я обойдусь. А что нужно куплю. Его переполняло ликование. Джинсы между тем подсохли. Но все же он решил начать с магазина. Купил джинсы, рубашку, очень красивый вишневый пуловер, две смены белья, носки. И отчего-то это нехитрое дело доставило ему невероятное удовольствие, к тому же в магазине были объявлены большие скидки. Рождественская или уже новогодняя распродажа. Пустячок, а приятно. Он вернулся в отель, переоделся, глянул на часы. Половина второго. Самое время. И выбежал на улицу. Лали! Ау!

Выглянуло солнышко. Брать такси не хотелось. Фрау Марианна сказала ему, что нужная улица находится неподалеку от Мариенплац. Он еще спросил, далеко ли это. И можно ли дойти пешком. Она сказала, что минут двадцать хватит.

Город его совершенно очаровал. Дойдя до так называемого Старого города, он увидал каток, где катались в основном ребятишки, и остатки Рождественского базара. На каждом шагу можно было выпить пива или глинтвейна, съесть что-то вкусное... Но он не мог сейчас себе этого позволить.

Казалось, ноги сами его несут в нужном направлении. А вот и эта улочка. Сердце замирало. Я что, мальчишка? Мне далеко за сорок, у меня было черт знает сколько баб, чего меня так колбасит и плющит, как выражается нынешняя молодежь?

И вдруг он встал как вкопанный, прямо перед ним, на другой стороне узкой улицы он увидал вывеску «Лали». Магазинчик был невелик, но весьма элегантен. Большая витрина, сквозь стекло видно, что за прилавком кто-то стоит. Покупатели тоже были. Две женщины, пожилая и молоденькая бродили по магазину, а у прилавка стояли двое мужчин. Он перешел на другую сторону. Что-то у меня голова кругом идет. Это не Лали. Он толкнул дверь. На него пахнуло теплом и духами. Женщина за прилавком мельком на него глянула. Он решил переждать покупателей. Не спрашивать же о Лали в присутствии всех этих совершенно посторонних людей. И он стал разглядывать витрины. Ведь все это делала она, своими руками, ну или, по крайней мере, какую-то часть... Вещи казались очень необычными, он плохо в этом разбирался. Наконец, мужчины расплатились, вручили своим дамам красивые пакеты с надписью «Лали» и довольные покинули магазин.

— Вы что-то хотите? Я могу вам помочь? — вдруг по-русски спросила женщина.

Он широко улыбнулся.

Ох, какой! — мелькнуло у Ирмы.

— Можете помочь, да. А как вы узнали, что я русский?

— Не знаю, я сразу распознаю соотечественников, — кокетливо улыбнулась Ирма. — Так чем я могу вам помочь?

— Простите, а я могу увидеть фрау Браун?

— Лали?

— Да.

— У вас к ней дело?

— Можно и так сказать...

— Лали будет примерно через минут сорок. Вы можете ее подождать.

— Спасибо огромное. А вы...

— Я ее помощница и подруга. Ирма. А вы часом не Родион?

Кровь бросилась ему в лицо.

— Лали говорила обо мне?

— Ох, я кажется дала маху... — досадливо поморщилась Ирма.

— Я ни слова Лали не скажу, — счастливо засмеялся он.

— Не далее как вчера Лали рассказала мне о Корфу и упомянула вас.

— Как странно...

— Что странно?

— Странно, что только вчера Лали заговорила о Корфу...

— Просто у нас не было возможности, а вчера мы наконец наговорились вволю. Родион, хотите кофе или чаю?

— Если можно, кофе.

— Хорошо, садитесь.

Он присел на мягкий пуф, стоящий у прилавка. Ирма скрылась за дверью. И вдруг в магазине погас свет и тут же раздалось хорошо знакомое матерное ругательство. Он засмеялся.

— Ирма, что случилось? Я могу помочь?

Ирма появилась на пороге.

— Вы что-нибудь понимаете в электричестве? Кажется, выбило фазу. Лали умеет обращаться с этими штуками, а я нет.

— Попробую, — с готовностью вскочил Родион.

— Идите сюда. Вот щиток...

— Это элементарно, только дайте какой-нибудь фонарик, что ли.

— Фонарика нет.

— Ну хоть зажигалку.

Она протянула ему зажигалку.

— Хорошо, когда женщины курят. Зажигалка всегда найдется.

— А что хорошего? Дискриминируют нас как хотят.

Свет вспыхнул.

— Вот и всё.

— Спасибо огромное.

— И часто у вас такое бывает?

— Первый раз. Я включила чайник и вот пожалуйста.

— Чайник, я смотрю, совсем новый.

— Да. Это нам подарили на Рождестве

— Судя по всему он бракованный.

— Не может быть. Фирма хорошая...

— Попробуйте включить еще разок.

Ирма включила чайник. Свет погас.

Родион опять его включил.

— Старый чайник у вас есть? Не выбросили еще?

— Какой вы умный, ужас просто. А этот подарок надо вернуть. Черт бы его взял. Придется вам подождать кофе. Я сейчас достану старый чайник.

— Не стоит, Ирма. Давайте-ка я лучше посмотрю, что там с этим новым чайником. Только дайте отвертку. Может, там пустяк какой-нибудь.

— Зачем? На него же есть гарантия, а если вы полезете...

— Ну, если я что-то не так сделаю, я просто подарю вам новый чайник. Тоже мне проблема.

— Ох, правда, я же забыла, что имею дело с русским мужчиной, — засмеялась Ирма.

Он рад был хоть чем-то занять себя, чтобы сердце не так колотилось.

Ирма вручила ему аккуратный ящичек с инструментами.

В этот момент звякнул колокольчик на двери. Родион поднял голову. Но эта пришла покупательница. Ирма занялась ею. Однако, покупательнице кто-то позвонил, она извинилась и отошла к окну.

Ирма же выскочила на улицу, огляделась, не видно ли Лали. Ага, вон она идет.

— Ирма, ты что раздетая стоишь, холодно же.

— Лали, ты не поверишь, — схватила ее за рукав Ирма. — Но тебя там ждут.

— Кто?

— Говорю же, не поверишь! Родион!

— Кто? — действительно не поверила своим ушам Лали.

— Родион.

— С ума сошла? Иди скорее в магазин, простынешь!

— Ничего, как-нибудь. Лали, он такой клевый мужик!

— Ирма, идем! — Лали схватила подругу за плечи и буквально впихнула в магазин. — Займись дамой! Хотя нет, лучше я сама. — Лали вдруг стало страшно. — Мадам, вы что-то выбрали уже?

— Нет пока, я ищу подарок для подруги к пятидесятилетию. Мне многое у вас нравится, но не могу решить...

— Попробую вам помочь. Ваша подруга брюнетка, блондинка? Крупная или небольшого роста?

Они говорили по-немецки, но Родион ничего не понимал. Баварский диалект. Вот с фрау Марианной было легко. А может дело не в диалекте, а в том, что мозги набекрень? И почему Лали встала сама за прилавок? Она боится? Ведь наверняка Ирма ее предупредила... Тогда это хороший знак...

— Ну, как дела, Родион? — заглянула к нему Ирма. — Вы извините, это постоянная покупательница, Лали сама всегда ею занимается.

— Да вроде я нашел, в чем тут дело... Давайте-ка попробуем включить.

— Ой, я боюсь.

— Чего, чудачка? Я сам включу. Вот, видите, все в порядке. Чайник работает.

— Здорово. Ну надо же...

Ирма заварила кофе, налила в красивую кружку тоже с надписью «Лали».

— Сахар, сливки?

— Да, спасибо, Ирма, я могу попросить гонорар за проделанную работу?

— Какой?

— Я хотел бы иметь вот такую кружку.

— Без проблем. У нас этого добра много. Пейте.

— Очень вкусно.

— Я пойду потороплю Лали.

— Не стоит.

— Вы боитесь? — заговорщицким шепотом спросила Ирма.

— Есть немножко.

— Обалдеть! Как маленькие, ей богу.

Но тут звякнул наконец колокольчик. Покупательница ушла.

Повисла пауза. Лали не появилась. Родион решил взять инициативу на себя. Он шагнул в магазин.

— Лали, не надо прятаться.

— Родион Николаевич! — вспыхнула она и показалась ему еще в сто раз красивее, чем он запомнил.

— Вы приглашали меня, вот я и приехал.

— Да, в самом деле... Но я не ожидала.

Она обрадовалась, определил он.

— С Рождеством вас и с наступающим... Ох, как же я рад вас видеть... Лали... У вас такой прелестный магазин. Неужели вы сами все это сделали?

— В основном да, но вот эта серия не моя... Может, вы хотите что-то купить вашей даме?

— Нет. У меня нет дамы.

— Родион Николаевич...

В этот момент опять появились покупательницы — две юные девушки баскетбольного роста.

— Лали, я займусь! — выскочила из подсобки Ирма.

— Спасибо. Родион Николаевич, пойдемте...

— Да, спасибо, я хоть допью свой кофе.

Его взгляд упал на пакет с конфетами.

— Ох, я и забыл, я же привез вам московский сувенир...

— Бог мой, что это?

— Конфеты. Московские конфеты. Вам и Пете, тут картинки, виды Москвы...

— Боже мой, какая тяжесть... Ух ты, целый дом, пять этажей... А они вкусные?

— Честно сказать, не пробовал... Но надеюсь, что вкусные. Хотите, я первый попробую?

— Но у нас же могут быть разные вкусы, — улыбнулась Лали и вдруг подумала: я назову рыжего котенка Родькой. Нет, нельзя. Петька и Ирма меня не так поймут.

— Родион Николаевич, а где вы остановились?

— В «Асторе» на Шиллерштрассе.

— И вы надолго?

— Да, до третьего числа. Лали, я понимаю, вы заняты, вам сейчас не до меня. Я уйду, но давайте поужинаем сегодня. Поверьте, у меня к вам есть дело. Дело достаточно серьезное...

— Родион Николаевич, помилуйте, какие у нас с вами могут быть дела? — холодно осведомилась Лали.

— Это странная история... Даже я бы сказал дикая, но...

Что я делаю, идиот, разве с этого надо начинать? Надо было сперва усыпить ее бдительность, расположить к себе, завоевать доверие, а потом уж огорошить. Неужто я все испортил?

— Какая история, о чем вы, Родион Николаевич?

— Простите меня, дурака, я неправильно начал, но уж коль скоро я сболтнул лишнего... Лали, я не могу говорить об этом на бегу. Но это связано... с моим братом.

— С вашим братом? — у нее дрогнул голос. — У вас есть брат? И что с ним такое?

— С ним? Он полон решимости отыскать вас.

— Меня? — побледнела она. — Зачем?

— Я думаю, вам лучше знать.

— И вы дали ему мои координаты?

— Боже упаси.

— И фамилию не сказали?

— Нет.

— Ну, тогда он меня нескоро найдет. Но получилось, что... И вы только затем приехали, чтобы меня предупредить?

— Нет. Я приехал сказать вам, что...

— Лали! — в подсобку заглянула Ирма. — На минутку.

Господи, я все испортил. Идиот, я при ней просто дурею...

— Лали, я побуду здесь, а ты иди с ним куданибудь. Ты чего такая бледная?

— Ох, Ирма, тут такой узел завязался... Я не знаю... Может начаться настоящий кошмар...

— Лали, положи ручку, сломаешь.

Ирма буквально вырвала из рук подруги шариковую ручку.

— Идите уже, а то покупателей распугаете.

— Да? Хорошо. Спасибо.

Она вернулась в подсобку. Взяла себя в руки.

— Родион Николаевич, вы обедали?

— Нет. Но я думал после работы...

— Ирма, спасибо ей, отпустила меня и мы сможем поговорить, не откладывая... Ну и пообедать... Я сейчас.

Она вышла в другую дверь и через минуту вернулась в скромном черном пальто, но с ярко-бирюзовым шарфом, прихотливо завязанным на шее.

— Можем идти.

Он видел, что она напряжена и напугана.

Он взял ее под руку.

— Лали, не надо бояться. Я с вами. И на вашей стороне.

— Я ничего не понимаю.

— Я вам все объясню. Не волнуйтесь так. Куда мы пойдем?

— А куда вы хотите?

— Я хочу в любое место, где подают хорошее темное пиво и где можно спокойно поговорить.

— Ну, с пивом проблем нет, а вот спокойных мест в это время и в эти дни... Хотя я знаю. Идемте.

Они вышли за пределы туристического рая, попетляли по переулкам, спустились в погребок.

— Здесь можно поговорить. И пиво хорошее. Вы, наверное, хотите и сосисок?

— Ничего не имею против.

— А может, айсбайн?

— Да нет, пожалуй. Лучше сосиски.

Они заказали сосиски с темным пивом. Пиво принесли сразу.

— Ох, какое пиво! Мечта.

— Родион Николаевич!

— Да, да, я понимаю, и простите меня, я в вашем присутствии слегка дурею. Нет, не слегка, а совершенно дурею.

Она улыбнулась вымученной улыбкой.

— Да, так вот... Я не видел брата и ничего о нем даже не знал больше пятнадцати лет. Он уехал в Америку и сгинул. То есть поначалу связь с ним еще была, а потом оборвалась. Даже когда умерла мама я не смог его найти. А тут вдруг в начале декабря он мне звонит, говорит, что хочет приехать... Ну, я даже обрадовался, встретил его. Он отлично выглядит, явно преуспевает... Мы хорошо встретились, выпили как водится и он мне рассказал, что ему во сне вдруг стала являться одна девушка, о которой он вроде и думать забыл, по имени Ева...

Лали вспыхнула и сломала картонный кружок с рекламой заведения.

Без сомнения, Петя, сын Тоника. Иначе чего ей так волноваться?

— Так вот... эта девушка снилась ему не однажды, и он решил, что это знак, надо, мол, наведаться в родные края. Ну, я ни сном ни духом... И вдруг он увидел у меня на столе вашу фотографию...

— Мою фотографию? — смертельно побледнела она. — Зачем у вас на столе моя фотография?

— Простите, Лали, но это глупый вопрос... Просто мне так легче жить. Я ведь давно... Я еще в магазине начал, но тут вас позвала Ирма... Я люблю вас, Лали. И никуда мне от этого не деться.

— Но сейчас речь не о том...

Он горько усмехнулся.

— Хорошо, я продолжу. Так вот, Тоник спросил, кто это, я ответил — одна дама из Германии, ее зовут Лали. Я же не предполагал... А он как закричит — никакая это не Лали, это Ева... И сколько я его ни разубеждал... Он стал расспрашивать о вас, ну, я же практически ничего о вас не знаю, ну и ляпнул, что у вас есть сын. А он вбил себе в башку, что это его сын... А я тут вспомнил, как Петя средним пальцем правой руки трет переносицу, совсем как Тоник... Лали, выходит, Петя мой племянник?

— Родион Николаевич, умоляю...

— Лали, милая моя Лали, я больше не сказал ему о вас ни слова, я познакомил его с одной прелестной женщиной, я сделал все, чтобы сбить его с панталыку... Он спросил, в каком городе вы живете, я сказал, что понятия не имею. Тогда он пристал ко мне, как назывался наш отель на Корфу, я назвал ему совершенно другой отель, но это же секрет Полишинеля... Он запросто прошерстит все отели, остров-то маленький... Так что это дело дней, я думаю...

— И что же мне делать?

— Все отрицать. Где учится Петя?

— Здесь, в Мюнхенском техническом университете.

— А живет с вами?

— Нет, они с подругой снимают квартиру, я ведь живу за городом.

— Это хорошо. Найти мальчика будет не так просто. Лали, а ведь он уже взрослый, может, просто рассказать ему все?

— Но как? Нет, невозможно... Он так любил отца.

— И, по-вашему, он станет любить его меньше?

— Я не знаю...

— Лали, милая моя, подумайте, ведь вы ни в чем не виноваты... Уж перед сыном точно. А муж ваш, он знал?

— Да, конечно. Я сразу ему сказала, что беременна, а он только обрадовался.

— Ну так что? Он же не маленький ребенок, он умный, добрый и вполне современный парень, который вас обожает. Вы же не изменили мужу, ничего такого... А если даже Тоник и отыщет парня, что ж... Они сами разберутся...

— Вы так думаете? — полными слез глазами посмотрела на него Лали.

— Я убежден. И знаете, когда нет нагромождения тайн и лжи, всем легче. Допустим, Тоник приедет к вам, начнет угрожать разоблачением... генетической экспертизой... А вы просто пожмете плечами и скажете — ну и что? Он все и так знает. А может случиться, что они даже и подружатся... И, поверьте, в этом не будет никакого предательства по отношению к вашему мужу. Лали, Петя не маленький ребенок...

— Но как, как я ему это скажу? Как объясню, почему вдруг решилась это рассказать? Нет, невозможно.

— Лали, у меня есть одна мысль.

— Какая?

— Хотите, я облегчу вам задачу? Я сам объясню все Пете.

— Вы? С какой стати?

— А я ему, на минуточку, родной дядя. И мы отлично с ним общались.

— Но он же... Он обидится, что я ему сама этого не сказала.

— Ерунда. И вообще, я думаю надо сделать так. Я расскажу ему все, и попрошу не говорить вам, чтобы вас зря не травмировать. Ну, как будто вы не в курсе, что Тоник может приехать.

— Нет, это глупости.

— Согласен. Но поговорить с ним начистоту, без всякого вранья, я могу. Поверьте, мужской разговор в такой ситуации предпочтительнее. Он мальчик открытый, если какая-то дурацкая обидка возникнет, я уж сумею без лишних эмоций все ему объяснить. А вы... У вас глаза на мокром месте, всякие ложные представления, предрассудки. Поверьте, так будет лучше.

— Родион Николаевич, а вы... вы убеждены, что Тоник... что ваш брат появится здесь?

— Убежден. Я его знаю. Хотя стопроцентной гарантии дать не могу. Мало ли что может случиться. Однако жить в постоянном страхе разоблачения ужасно.

Она молча смотрела на него. Кажется, он и вправду меня любит. С ума сойти... И он такой добрый... И даже какой-то родной... И смотрит на меня так... Неужели это судьба?

— Ну что, Лали? Доверите мне эту миссию?

— Да. Вы меня убедили... Мужской разговор это иной раз очень правильно... Мой муж частенько вел с Петькой мужские разговоры.

— Спасибо, спасибо за доверие, Лали.

Пусть он поговорит с Петькой. Это хорошо. Может, в результате между ними возникнет доверие и даже, может быть, дружба.

— Но как лучше это сделать?

— Я не знаю... Петя сейчас болен, он простужен.

— Так, может, я навещу его?

— Нет. Я сейчас ему позвоню и узнаю, как он себя чувствует. Алло, Анне-Лора? Это фрау Браун. Как там Петер? Алло, Петенька, как ты?

— Да нормально уже, мам. Температуры нет. Кашель почти прошел. Анне-Лора отличный доктор. А что у тебя, как торговля идет?

— Все нормально, сын. Но тут вот какое дело. Приехал Родион Николаевич. Помнишь его?

— Да? Здорово! Он к тебе приехал?

— Нет, но мы сейчас обедаем с Родионом Николаевичем, и он говорит, что хотел бы тебя увидеть.

— Да? Я тоже буду рад.

— Давай мы завтра пообедаем втроем.

— Отлично! Я за!

Повесив трубку, он обернулся к Анне-Лоре.

— Помнишь, я тебе рассказывал, как на Корфу в маму влюбился один русский? Так он сейчас здесь, с ней! Он классный! Хорошо бы мама с ним закрутила...

— Зачем тебе это?

— Анне-Лора, как ты не понимаешь? Моя мама еще не старая женщина, к тому же очень красивая... Что ж ей пропадать? А этот тип очень славный, добрый, порядочный...

— Как ты можешь это знать?

— Я чувствую.

— И тебе не обидно за отца?

— Нет. Отец сам мне не раз говорил, что когда он умрет, мама не должна хранить ему верность.

— Странно.

— Ничего не странно. Просто отец так любил маму, что всегда заботился о том, чтобы ей было хорошо.

— Даже после его смерти?

— Именно.

— Ну что? — спросил Родион.

— Он обрадовался, передавал вам привет. И завтра он сможет прийти...

— Лали, спасибо вам.

— Господи, за что?

— За доверие.

— А у меня разве был выбор? — улыбнулась она.

— Конечно, был. Вы могли и сами рассказать все сыну, могли продолжать молчать...

— Да, в самом деле... Знаете, Родион Николаевич, мне вдруг стало легче. Не так страшно.

— Вот и замечательно.

— Спасибо вам... И знаете что...

В этот момент у нее в сумке зазвонил телефон.

— Извините. Это Ирма. Да, Ирма. Что случилось? Нет, это была маленькая партия. Больше, к сожалению, нет. Попробуй предложить что-нибудь из «Зимней симфонии». Хорошо, я буду минут через сорок. — Она захлопнула крышечку телефона. — Извините. Дела.

— Лали, может, мы и поужинаем сегодня?

— О нет, спасибо, но нет, я после рабочего дня спешу домой, у меня там собака, а теперь еще и котенок. Мой Вир сам принес мне вчера котенка. Махонького, рыженького. Мне еще надо все для него купить и...

— Пес принес котенка? Какая прелесть. Вы его оставите у себя?

— Конечно. Не отнимать же у Вира такую игрушку, тем более он сразу взял над ним шефство... К тому же котенок само очарование.

— А какого он пола?

— Мальчик.

— Вы его уже назвали?

— Нет пока.

— А назовите его Родькой.

— Как?

— Родькой. Мне было бы приятно, что у вас есть хотя бы мой тезка...

С ума сойти, испуганно подумала Лали. Он как будто прочел мои мысли.

— А что, мне нравится. Рыжий Родька... Да, хорошее имя.

— Пете я сам объясню, почему так назвали котенка. А Ирме вы. Еще кому-то это вряд ли надо знать...

Он проводил ее до магазина и ушел. Совершенно счастливый. За сегодняшний день было преодолено огромное, невероятно огромное расстояние. Она мне доверилась... Она... Она самая лучшая, самая нежная... И нуждается в защите, опоре и поддержке. Очень, очень нуждается. И если завтра с Петей все пройдет как надо, я стану для нее еще ближе... И котенка она назовет Родькой... Как я мечтаю, чтобы она меня вслух назвала Родькой. Родион Николаевич, вы совсем сдурели, засмеялся он про себя. Нашел о чем мечтать... Ты же никогда не мечтал о такой чепухе, ты шел напролом, всегда и со всеми, а тут извольте радоваться, котенка в твою честь назвали, да и то не по собственной инициативе, а с твоей подачи, но ты, старый болван, от этого на седьмом небе. Да, дела...

И он пошел шататься по незнакомому, но восхитительному городу. Вот это да! Я же как пьяный, а выпил всего одну кружку пива. Часа через два он набрел на старинную пивную, зашел. Она оказалась какой-то неправдоподобно огромной. Он нашел свободный столик. Кругом было шумно, многолюдно, мужчины, женщины, старики, дети, целые семейные кланы... Подбежал пожилой официант, выслушал заказ, кивнул и унесся.

Как хорошо, думал он, прихлебывая потрясающее баварское пиво. И как славно, что она тоже любит темное пиво. Он грыз соленые крохотные крендельки, которые казались ему невероятно вкусными. Дурак ты, Родька. Совсем поплыл от счастья? Да, поплыл... А вдруг больше ничего и не будет? Ну что ж... Не будет, значит, не суждено. Но за эти минуты пусть даже призрачного счастья можно отдать все на свете. Неужто все же существует любовь? Наверное, иначе с чего бы эта эйфория? Вот уж воистину, лучше поздно, чем никогда!

Заметив, что кружка Родиона пуста, кельнер вопросительно взглянул на него, тот кивнул и через минуту перед ним уже стояла другая, полная. Боже, какое счастье!

— Лали, что случилось? — шепотом спросила Ирма.

— Потом.

Покупатели шли один за другим и поговорить не было никакой возможности.

Наконец женщины остались наедине. Но закрывать магазин было еще рано.

— Лали, ну что? — нетерпеливо спросила Ирма.

— Ты о чем? — рассеянно отозвалась Лали.

— Как о чем? Об этом мужике.

— Ирма, ты знаешь, с чем он приехал?

— Просить твоей руки?

— Да ты что!

— А мне показалось, он уже готов...

— Сейчас не до того...

И она рассказала подруге все, что произошло сегодня.

— Обалдеть!

— А что еще ты можешь сказать?

— Он мне нравится.

— Да при чем тут это?

— Ты не поняла. Я хочу сказать, что совершенно вроде бы чужой мужик так влюблен, что примчался предупредить тебя, готов взять на себя такой нелегкий разговор с твоим сыном. Это дорогого стоит. По-моему, он как раз тот человек, который тебе нужен.

— Почему ты так решила?

— Потому что ты привыкла жить за каменной стеной. Я вот для всех своих мужей сама была каменной стеной и мне в конце концов это надоело. А твой Иваныч был надежен, как скала...

— И ты полагаешь, что его можно заменить? — горько усмехнулась Лали.

— Заменить нельзя, кто бы спорил. Но он умер, понимаешь, умер? А этот живой, к тому же, готов быть для тебя этой самой стеной... Пойми, Лали, жизнь слишком длинна для одной-единственной любви.

— Это ты сама додумалась?

— Нет, где уж нам уж... Это Ремарк сказал. Но я с ним полностью согласна.

— Но я даже подумать не могу...

— Ну, во-первых, тут надо не думать, а чувствовать, и не глушить в себе зов плоти.

— Какой к черту зов, о чем ты?

— О том, что видела своими глазами. Когда вы с ним вышли на улицу, он взял тебя под руку, а ты так прильнула к нему...

— Не ври! — испугалась Лали.

— Я не вру. Врешь как раз ты! Он же тебе нравится. Сама вчера говорила.

— Я сказала только, что он приятный человек, это еще ничего не значит.

— Зачем ты врешь сама себе? Он тебе нравится, тебя к нему тянет, а ты этого боишься. Не будь дурой, такой может больше и не встретиться.

— Послушай, сейчас не об этом речь. Я не знаю, как с Петькой... Как он отреагирует... Что вообще будет?

— Да ничего особенного не будет. Он большой и умный. И надежный, в отца. Ой, что я говорю, — фыркнула Ирма. — Хотя все правильно. Иваныч же еще у тебя в пузе растил Петьку. И он на сто процентов его сын. А кто там его зачал, в общем-то неважно. Важно, что Петька вырос в атмосфере, о какой любой ребенок может только мечтать. У вас была настоящая семья. Вы любили его, он вас, и друг дружку вы любили. И Иваныч твой был ему самым настоящим отцом... Так что ему какой-то заезжий молодец?

— Ах, откуда я знаю, что из этого получится?

— Лали, этого никто не знает, но по всем показателям все должно получиться как надо. Он же нравился Петьке, этот твой Родион. И ему будет приятно обрести вдруг дядю.

— А Гамлет?

— Кто? — вытаращила глаза Ирма.

— Гамлет не любил дядю.

— Но дядя Гамлета прикончил его папашку. А Родион к смерти Иваныча отношения не имеет. К тому же Петька не неврастенический датский принц. Глупости. И вообще, это не шекспировская история. Отнюдь.

— Думаешь?

— Уверена.

— Да, знаешь, я рассказала Родиону про котенка.

— И что?

— Он попросил, чтобы я назвала котенка Родькой.

— Да? А ты?

— Согласилась, — вдруг покраснела Лали.

— Кажется, это твой единственный умный поступок за сегодняшний день. Знаешь, подруга, что бы ты ни верещала, а Родион тебе нравится. И слава Богу.

Переполненный счастьем и баварским пивом Родион притащился в гостиницу. Уже в дверях он подумал, что надо было бы купить цветочков милейшей фрау Марианне, но сил уже не было. К тому же за стойкой сидел молодой человек. Успею еще, решил Родион и шагнул в лифт. Ах, хорошо! — мысленно произнес он, войдя в уютный номер. Едва он снял куртку, как в кармане зазвонил мобильник. Кому это неймется? Фаина!

— Родька, ты где?

— Привет, девушка, с наступающим тебя!

— Я спрашиваю, ты где? Дома тебя нет, мобильник был отключен.

— А, ну да, я в Мюнхене.

— В Мюнхене? Ты вроде не собирался.

— А вот собрался.

— Новый год где встречаешь?

— А что?

— Хотела пригласить к себе.

— Увы, я вернусь только третьего.

— А это что, каникулы или командировка?

— Командировка, — сам не зная почему соврал Родион.

— Как жалко... Родька, мне грустно, слушай, а может, я махну к тебе? Встретим вместе Новый год, это так романтично!

— С ума сошла! Нет, Фаина, это невозможно.

— Ты не пугайся, я не буду посягать на твою невинность. Просто мне плохо, и, кстати, по твоей вине.

— То есть?

— А твой братишка изрядной скотиной оказался.

— Фаина, ты все-таки учти, что я за границей, и мобильник жрет деньги немерено. Вот я приеду и ты мне все расскажешь.

— Нет, я просто сейчас же спущусь вниз и положу бабки на твой мобильник. Никогда не знала, что ты жлоб! — в ее голосе уже слышались истерические нотки.

— Хорошо, что сделал мой брат?

— Он со мной переспал, а потом, еще в постели начал мне заливать, что приехал в Москву найти свою любовь по имени Ева, которая, как выяснилось, родила от него. Как тебе это нравится? Ну разве не скотина?

— Скотина. Но ему ты об этом сказала?

— Можешь не сомневаться, я ему все сказала и выгнала взашей.

— Ну и молодчина! Хотя так скоро прыгать к нему в койку не следовало бы, подружка.

Она задохнулась от возмущения.

— Ты такая же скотина? Сразу валишь баб в койку, а потом читаешь им мораль? Да пошли вы все! Я думала ты другой, а ты... Знать тебя не хочу!

Она отключила телефон.

Он почувствовал неловкость. В самом деле, не надо было бы этого говорить. Ему вовсе не хотелось ее обижать. Но куда больше его сейчас занимала мысль о том, что Платон вовсе не забыл о Еве. И если уж в такой ситуации заговорил о ней, значит, эта мысль его действительно точит. И он, конечно же, разыщет Лали. Но сейчас, когда он принял меры предосторожности, его куда больше пугала другая перспектива. А вдруг Лали опять западет на Тоника? Ведь запала же она на него когда-то? Если он поведет себя не по-хамски. Но с Фаиной он был откровенным хамом. Бедняжка... Она права, это я виноват. Но ничего, я вернусь, привезу ей какой-нибудь подарок, выслушаю ее сетования, и она успокоится. И почему такой прелестной женщине так не везет с мужиками? Видно, с ней самой что-то не так...

Он принял душ, завалился в постель и заснул почти сразу. Ему ничего не снилось.

Жизнь слишком длинна для одной любви... Надо же... И почему это все так хотят пристроить меня? А я вот не желаю, хотя, не буду притворяться, мне приятно, что этот человек в меня так влюблен... Но что у нас может быть? Он же брат Тоника. Они общаются, а из-за меня может начаться вражда... Это плохо. Брат мой, враг мой... Был такой роман, кажется? Или это из Библии? Не помню... Да и неважно... И вообще... Он живет в России, у него там дело, а я в Германии, и у меня тут свое дело. Он не бросит Москву, а я не брошу дом, который построил Иваныч. И Петьку. Что у нас может быть? У нас может быть только роман... И чем же это плохо? Это совсем неплохо... вдруг мелькнула у нее крамольная мысль. Это, собственно, единственное, что может быть... Так пусть будет... У меня же толком не было романа... Тоник не в счет. А с Иванычем романа не было. Все с налету, по безумной страсти... Он же тогда сразу стал мне как муж, хоть мы и расписались только через месяц... Но как же это было прекрасно! Нищие, веселые, полоумные от любви, нам все было в радость... Помню, когда он на другой день уехал в Ленинград, я хотела связать ему свитер, но поняла, что не успею за два дня, и решила связать жилетку. Связала, успела! В каком же он был восторге, как гордился ей. А дни, как назло, стояли жаркие, толстую вязаную жилетку не наденешь, как же он расстраивался... А как изменились у него глаза! Из них ушла та тяжесть взгляда, которая поразила меня при первой встрече, они стали веселые и какие-то чертячьи. Я нередко смеялась: «Иваныч, я всегда думала, что чертячьи глаза черные, а не голубые!» А он смеялся: «А я вообще нетипичный! Такой вот голубоглазый черт. Это оттого, что влюблен до чертиков!»

И глаза у него оставались молодыми до самой смерти. Он и сам был молодой, душой и телом. Оттого его смерть стала таким ударом... О чем я, дура, думаю! О каком романе? Зачем он мне? Жизнь длинна для одной любви... Так это смотря какая любовь. А если она такая, как у нас с Иванычем? Девятнадцать лет счастья... Многим и двух лет не выпадает...

Они договорились с Родионом, что сначала он встретится с Петей с глазу на глаз, а она появится через полтора часа. На полутора часах настоял Родион. Ему казалось, что за час он не управится, а за полтора может.

— Уйди с глаз долой! — сердилась Ирма, потому что у Лали все валилось из рук. Она даже сломала застежку на аметистовой брошке.

— Не страшно, я сейчас поставлю новую.

— Вот и сиди в мастерской, а то у тебя такое непраздничное выражение лица, что ты распугаешь покупателей.

— Я все равно ничего не смогу делать...

— Тогда пойди и прошвырнись по магазинам. Сейчас такие распродажи...

— С ума сошла? Я накуплю какой-нибудь дряни.

— Тогда пойди в кафе и нажрись пирожных.

— Зачем? — искренне удивилась Лали.

— Чтобы совесть замучила. Все-таки отвлечение.

— Не могу.

— Хорошо, тогда скажи...

Но тут вошел покупатель. Лали быстро ретировалась, но не могла найти себе места. Тогда она оделась и вышла.

— Я пойду... — бросила она Ирме.

— Иди-иди!

— Если будет много народу, позвони.

— Всенепременно.

Родион пришел первым. Он тоже волновался. И почти сразу появился Петя.

— О, Петр! Рад! Рад!

— И я!

Они даже обнялись.

— Садись, Петя.

— А где мама?

— Мама придет позже. Петя, я не буду тянуть резину, как у нас говорят. У меня к тебе разговор.

— Да? — удивился Петя. — О маме? — с улыбкой предположил он.

— И о маме тоже.

— Я не понял.

— Сейчас поймешь. Ох, трудно...

Петя заволновался.

— Родион Николаевич, что-то случилось?

— Пока нет. Но в любой день может случиться. Это, так сказать, превентивная мера, чтобы уберечь маму от мучительного выбора...

— Какого выбора? Вы с мамой хотите пожениться? И мама не может выбрать между мной и вами?

— Если бы все было так просто... О каком выборе может идти речь в подобной ситуации? Любая нормальная мать выбирает сына, но...

— Но я уже взрослый и я даже хочу, чтобы мама вышла замуж.

— Петя, я был бы самым счастливым человеком на свете, если бы речь шла об этом.

— Тогда я ничего не понимаю.

— Петя, поверь, мне и самому трудно... Попробуй выслушать меня, не перебивая.

— Простите. Только еще один вопрос. С мамой что-то не так? Она больна?

— Да ты что! Слава богу нет.

— Тогда все. Я слушаю вас.

— Петя, жизнь порой преподносит самые невероятные сюрпризы. Короче говоря, мы с тобой, как оказалось, состоим в некотором родстве... Иными словами, я твой родной дядя.

— Дядя? Как это может быть? Вы... насколько я понимаю, дядя — это брат отца или матери. Вы папин брат?

— Я не папин брат... Ох, черт...

— Но у мамы нет братьев и у папы тоже.

— Я не папин брат, я брат твоего отца.

— Что? Как это брат отца, но не папин... — Паренек вдруг страшно побледнел. — Вы хотите сказать, что папа... мне не отец? Так?

— Петя, я хочу сказать, что папа тебе не биологический отец. Но, разумеется, самый настоящий отец. Однако зачат ты был не от него.

— А он... Он знал?

— Разумеется. Когда они встретились с твоей мамой, она еще не знала, что беременна. А узнав, тут же призналась мужу. И он настоял на том, чтобы мама родила и, как она мне сказала, любил тебя еще задолго до твоего появления на свет. И, поверь, если бы не роковая случайность, никто об этом не узнал бы... Но...

— А что этот самый... биологический... Он жив?

— Жив.

— Но он же мне никто.

— Естественно. Но дело в том, что он в любой момент может здесь появиться. И мама безумно боялась, что он сам тебе это скажет... Так сказать, без подготовки. Знаешь, женщины... они часто все слишком усложняют. Она боялась, не знала, как тебе об этом сказать, опасалась, что ты не так ее поймешь.

— И попросила вас?

— Нет. Ей это даже в голову не пришло. Я сам вызвался. Хотел уберечь ее от этого тяжелого разговора.

— Постойте, так вы действительно мой дядя? Этот самый... биологический... он ваш брат?

— Да. Такова ирония судьбы.

— Он, что, бросил маму, когда узнал, что она ждет ребенка?

— Нет. Просто мама встретила твоего отца и безумно влюбилась. Это мама бросила моего брата. Он ничего не знал.

— Откуда же узнал?

— Петя, поверь, это слепой случай. Я не общался с братом много-много лет. Он живет в Америке. И вдруг он приехал в Москву. И увидал у меня на столе портрет твоей матери.

— У вас стоит мамин портрет? Вы ее любите?

— Да, — развел руками Родион. — Люблю. Я ни о чем не подозревал. А брат вдруг спросил, кто это. Я сказал: Лали. А он как закричит: это не Лали, это Ева. Я пытался его разубедить, но... Я упомянул, что у Лали есть сын. И он стал уверять меня, что это его сын. По срокам, он нашел какие-то старые дневники. Тогда я посмотрел на твою фотографию и обнаружил несомненное сходство. Но брату об этом не сказал ни слова. Я всячески избегал этой темы. Но он стал меня расспрашивать, в каком отеле я жил, я соврал. Но ты же понимаешь, несложно найти, если задаться такой целью. Хотя я не сказал ни фамилии, ни города. Но это дело времени. Я испугался и приехал сюда. Предупредил маму, ну и вот... Собственно, я все уже сказал. Признаюсь, с меня сошло семь потов.

— Родион Николаевич... Но зачем ему искать нас? У него что, нет других детей?

— Нет.

— Но я вовсе не хочу его знать. У меня был необыкновенный отец и другого мне не нужно.

— Не нужно и прекрасно. Просто мы с мамой решили, что лучше, чтобы ты узнал об этом не от него.

— Да, наверное, вы правы. А мама?

— Что мама?

— Почему она так испугалась?

— Знаешь, Петя, эти истории с тайной усыновления бывают совершенно непредсказуемы. Вот мама и испугалась, что ты можешь как-то не так отреагировать. Понимаешь, Лали напрочь забыла о моем брате. Тебе скоро двадцать, ее муж растил тебя как родного, обожал тебя, у вас все было прекрасно и вдруг... Совершенно чужой по сути человек может ненароком поломать эту идиллию, может настроить сына как-то не так, как ей хотелось бы... Мама потеряла мужа и боится потерять тебя.

— Потерять меня?

— Да.

— Глупость какая... Женщины, одно слово, — вдруг широко улыбнулся Петя. — Я ж не идиот, не беспамятный кретин. Я что, могу забыть папу? Могу забыть, как он со мной возился, как учил меня, например, ловить рыбу, ездить верхом, играть в преферанс... Да мало ли чему он меня учил! О таком отце можно только мечтать, а каким отцом был бы ваш брат, извините, это еще большой вопрос. Да и вообще... Странные люди эти женщины...

Родион улыбнулся. До чего ж хороший парень его племянник!

— Петя, не надо сердиться на маму.

— Да я же не сержусь, я удивляюсь.

— И удивляться не нужно. Пойми, твой отец, судя по всему, был сильным человеком, мама была за ним, что называется, как за каменной стеной. И вдруг такой поворот, она просто растерялась. А мне невыносимо было думать, что слабая женщина...

— Родион Николаевич, вы не совсем правы. Мама вовсе не слабая женщина. Нет. Отец, конечно, был для нее каменной стеной, но... Он всегда знал, что уйдет рано и старался сделать маму достаточно стойкой. Он настоял, чтобы она приобрела профессию, научилась работать, научилась сама справляться со всеми трудностями. Он никогда не лез в ее бизнес. Говорил: «Девочка, это только твое». Хотя любил ее как ненормальный... И мне года за два до смерти сказал: «Когда умру, дай маме погоревать годик, а потом скажи ей, пусть живет на всю катушку...»

— Твой отец был болен?

— В том-то и дело, что нет. Но видно предчувствовал. Родион Николаевич, а ведь это странно... Вы — мой дядя... С ума сойти.

— Не знаю, как ты, а я рад, что у меня такой племянник, — улыбнулся Родион.

— И вы действительно любите маму?

— Люблю. Так уж случилось. С первого взгляда.

— Это здорово!

— Но мама меня не любит.

— А вы... вы добивайтесь...

— Петя! — расплылся в глуповатой улыбке Родион. — Ты, как говорится, даешь мне добро?

— Да.

— Спасибо, дружище! Я буду... добиваться.

В этот момент на пороге кафе появилась Лали, белая как полотно.

— Мама!

— Добрый день... Я не рано?

Петя вскочил, обнял ее и поцеловал. Она расцвела.

Родион тоже поднялся ей навстречу, поцеловал руку.

— Все в порядке, Лали.

— Мам, ты чудачка... Неужто ты думала, что я...

— Я ничего не думала, просто боялась... Но Родион Николаевич... Спасибо ему.

— Да, у меня очень славный дядя. И ты успокойся, мама. Все осталось по-прежнему. А если этот так называемый отец появится, что ж... Поглядим.

— Господи, гора с плеч... Я должна выпить...

— Манхэттен? — в один голос спросили мужчины.

— Да!

Петя пошел к стойке бара.

— Еще раз спасибо, Родион Николаевич.

— Лали, а котенка вы тоже зовете по имени-отчеству?

— Нет, — улыбнулась она.

— Вот и меня не надо.

— Пей, мамочка. И тебе необходимо что-то съесть. Я уверен, ты сегодня еще ничего не ела. Да?

— Да.

— Родион Николаевич, мне надо бежать, а вы проследите, чтобы мама поела. А то еще грохнется в обморок.

— Можешь быть спокоен. Если будет сопротивляться, поступлю с мамой, как в детстве со мной поступил отец.

— Это как? — заинтересовался Петя.

— Зажму ей нос и впихну кусок.

— О, чувствую на вас можно положиться. Ладно, пока!

Петя ушел.

— Лали, в самом деле вам нужно поесть.

— Не хочется.

— Лали, но если вы ничего не ели, вас сейчас развезет от этого коктейля. Кстати, хотел спросить, откуда у столь хрупкой женщины пристрастие к этому неженскому напитку?

— Я не люблю сладкие коктейли...

— И все же надо поесть.

— Хорошо. Родион Ни...

— Просто Родя.

— Родя... А хотите я покажу вам город, как обещала?

— Конечно хочу. Но разве вам не нужно работать?

— Ох, нужно... Перед Новым годом столько покупателей...

— Тогда не стоит. Но скажите мне, что вы делаете в Новый год?

— В Новый год?

— Ну да. Просто я знаю, что в Европе его встречают не так, как в России... А знаете, самый удивительный Новый год я встречал в Бразилии. Вы не бывали в Бразилии?

— Нет. Мы с мужем хотели поехать туда, но нам сказали, что не стоит, там очень криминальная обстановка.

— Это верно, но встреча Нового года на пляже в Рио-де-Жанейро... Нет слов!

— Там, кажется, удивительно красивые женщины?

— О да! И белые, и черные, такие красавицы...

В душе Лали вдруг шевельнулась ревность.

— Но все они вам в подметки не годятся, Лали. Так что с Новым годом? Может, встретим его вместе, а? Тут, я читал, есть забавные традиции, мэр города купает в фонтане кошелек или я что-то путаю?

— Родион... Родя, мы встречаем Новый год как раз по-русски. Я пеку пироги...

— И салат оливье делаете?

— Нет. Петька его терпеть не может, но я делаю винегрет.

— Вы хорошо готовите, Лали?

— Говорят, да. Я люблю готовить, вернее, любила. Для себя одной скучно. Но для гостей с удовольствием. Приезжайте.

— Спасибо, спасибо огромное... Будет много народу?

— Нет. Петя со своей девушкой, Ирма, и еще одна русская пара, наши друзья.

— Лали, я тронут.

— Вот и чудесно. Познакомитесь со своим рыжим тезкой.

— А до тех пор? Мы сможем видеться?

— Конечно. Вы же знаете, где меня найти.

— Кстати, ваша Ирма очень милая женщина.

— О да. Она настоящий друг. Знаете, мне стало так легко...

— Вам надо было поесть, — улыбнулся Родион. — Сразу другой цвет лица.

— Дело не в этом... Мне стало легко оттого, что вы поговорили с Петей.

— Лали, поверьте, если бы вы сами с ним поговорили, было бы то же самое.

— Может быть, но вы взяли это на себя и я вам очень-очень благодарна. И вот что, первого и второго магазин не работает и я повожу вас по окрестностям. Съездим в Нойшванштайн.

— Это замок Людвига Баварского?

— Совершенно верно. И еще придумаем, куда поехать.

— Знаете, а мне все равно куда... Лишь бы с вами.

— Родион Николаевич, Родя, не нужно этого.

— Почему? Я вам неприятен?

— Ну что вы... Нет, но...

— Лали, вы боитесь? Меня или себя?

— Да никого я не боюсь...

— Неправда. Я даже знаю, чего вы боитесь.

— И чего же?

— Сравнения.

— Какого сравнения? — побледнела она.

— С вашим покойным мужем. Вы боитесь, что я не выдержу этого сравнения, вы разочаруетесь... Разве не так?

Она молча пожала плечами.

— Лали, насколько я понял со слов ваших и вашего сына, муж ваш был близок к идеалу...

— Да нет, что вы! Он был человек со своими недостатками, со своими странностями. Живой человек, а никакой не идеал. Просто я любила его. Вот и все.

— Лали, но его нет больше.

— Я знаю.

— А я живой, я люблю вас, люблю наверное как-то иначе, чем он. Я другой. Совершенно другой. И вам вовсе не нужен клон. Может, во мне вы найдете что-то совсем для вас новое, интересное... Ну я не знаю, черт, я не умею себя рекламировать.

— И не надо, — улыбнулась она. — Вы хороший человек, это я уже поняла.

— Но вам этого мало...

— Да нет, это очень много в наше время.

— Да, сейчас это еще отчасти наше время, но, Лали, время так скоротечно... А мы уже не дети. Простите, простите, Лали, я лучше пойду. Я не умею так...

— Как?

— Я не умею вымаливать любовь. Спасибо за все. Вот вам моя визитка, больше я не стану вам надоедать. Понадоблюсь, свистнете. Желаю счастья и удачи в Новом году.

Он встал и быстро вышел на улицу.

Хватит с меня! Уеду к чертям домой. Не могу я так... Вымаливать любовь этой равнодушной ко мне женщины? Еще чего! Я сделал все, что мог. И хватит.

Вернувшись в гостиницу, он позвонил в аэропорт, выяснил, что сейчас добраться до Москвы можно только через Милан. Ну и черт с ним. Полечу через Милан. Он был зол на себя.

— Лали, ну что?

— Ирма, я ничего не поняла...

— Чего не поняла? Он поговорил с Петей?

— Да. Но потом... С Петей все нормально... Они поговорили, Петька был даже веселый, они как будто подружились. Когда он ушел, я пригласила Родиона на Новый год, пообещала свозить первого и второго куда-нибудь за город...

— И что?

— Он был такой серьезный, нежный, объяснялся в любви в открытую... И вдруг словно взбесился. Швырнул на столик деньги и свою визитку и убежал.

— Куда убежал?

— Откуда же я знаю... Но у меня создалось впечатление, что он решил уехать... Насовсем.

— Идиотка!

— Почему? Что я сделала не так? Я только не кинулась в его объятия. Но он не мог рассчитывать...

— Почему это?

— Ну я же не люблю его.

— А ты уверена?

— Конечно.

— А он привык к легким победам. Он, если хочешь знать, офигительно интересный мужик, победитель, а тут втюрился в тебя, ему это показалось интересным... Такая красивая, грустная вдова... Нуждается в защите... И он начал совершать подвиги. Во имя дамы.

— Какие подвиги?

— Ну, во-первых, он примчался сюда незваный, заложил родного брата, тем самым защитил даму сердца, взял на себя миссию раскрыть глаза племяннику... Это, по-твоему, не подвиг?

— На подвиг не тянет.

— Дурища, оглянись вокруг! Это самый настоящий подвиг. Но за подвиг полагается награда. А он понял, что это было впустую, вот и взбеленился. Ну не привык он завоевывать баб. Не привык.

— Не привык, не надо. Никто его не просил. А Платон, кстати, может и не появиться... И окажется, что подвиг был совершенно напрасным и даже вредным.

— Ох, я не думаю.

— Ты о чем?

— Я убеждена, что твой Платон именно появится.

— Ну и пусть.

— Лали, скажи честно, тебе не жаль, что он сбежал?

— Да нет... Ну, разве что самую малость.

— Но он же тебе нравился.

— Ну и что? Этого мало.

— Да, теперь я понимаю твоего однокурсника.

— Какого однокурсника?

— Который прозвал тебя девственной селедкой.

Лали улыбнулась.

— Ирма, ты чего злишься?

— Потому что я терпеть не могу, когда бабы делают глупости и упускают такой шанс.

— Да какой такой шанс?

— Ладно, можешь хорохориться сколько угодно, но я знаю, ты раскаиваешься.

— Ни чуточки. И котенка я Родькой звать не буду. Назову Барсиком. Или нет, Чалдоном, как бабушкиного кота звали.

— Да, эта малявка типичный чалдон. А ты все-таки влюблена в него, но боишься сама себе признаться.

Лали сидела на пуфике в пустом магазине, уронив руки на колени и смотрела в одну точку. И ничего подруге не ответила. Небось опять своего Иваныча вспомнила, раздраженно подумала Ирма.

Родион был совершенно вымотан долгой и неудобной дорогой. В Милане ему пришлось вместо двух часов провести шесть. Он был по-прежнему зол на себя. И что я в ней нашел? Красивая, да, но немолодая уже, стильная, с шиком, вещи на ней сидят потрясающе, но холодная... ханжа... и зачем она мне сдалась, в жизни я так не унижался. И впредь не стану. Вот, нельзя изменять своим принципам! Я всегда относился к бабам так — хочешь, прекрасно, не хочешь, свободна! А добиваться, как предлагает Петя, нет уж, увольте. Стар я для этого. Тоже мне, цаца...

Войдя в квартиру, он первым делом достал из ящика файлик с поврежденной фотографией

Лали, порвал ее в клочки и выкинул в ведро. Кажется, стало легче. После этого он набрал номер Фаины.

— Привет, девушка! Как дела?

— Нормально.

— Дуешься?

— Нет.

— Вот и правильно. Может, пообедаем завтра?

— А ты где?

— В Москве. Дома.

— Это что значит? А Мюнхен?

— Мюнхен прекраснейшим образом обойдется без меня. Как и я без него.

— У тебя там что, случился облом?

— Какой облом?

— Ну, я не знаю...

— Ладно, короче говоря, ты как насчет обеда?

— Можно.

— Где и когда?

— У меня машина сломалась. Заезжай за мной на работу.

— Во сколько?

— Часа в два. Я освобожусь.

— Договорились.

— Да, Родя, если передумаешь, предупреди, чтобы я не ждала, как дура.

— Обижаешь, девушка.

— Да кто вас знает...

— Ну, меня-то ты знаешь.

— Ладно, Родя, я спать хочу.

А может, ну ее, эту Лали? Тоник говорил, что Фаина любит меня. Это же хорошо, когда тебя любят. Да, но я-то ее не люблю... А Лали не любит меня. Черт знает что получается! Фаина любит меня, я люблю Лали, а Лали любит покойника... Это что, любовный треугольник? Чушь собачья. Это вообще не треугольник, а квадрат. Квадрат нелюбви... Нет, ерунда, тут три человека все кого-то любят, но без взаимности. Напишу картину «Черный треугольник»... Или роман написать? Где все кого-то любят, но мимо... Чушь, опять чушь, таких романов тринадцать на дюжину. «Добивайтесь ее». Да не буду я добиваться. Чего я могу добиться? Что она мне даст? Допустим. Но мы же с ней — два мира, два Шапиро. Где она и где я? Она что, бросит свой магазинчик, дом, сына и будет жить в квартире на Кутузовском? Если бы любила, смогла бы. Но ведь не любит же... А черт с ней. Не хочу о ней думать. Встречу Новый год с Фаиной. Нет, вдвоем с ней нельзя. Она может не так понять... А я позвоню Олегу. Он звал меня на Новый год. Завтра утром позвоню ему и напрошусь вместе с Фаиной. Олег, конечно, поймет, что в Мюнхене вышел облом, но это не страшно... Олег чуткий и добрый малый. Заодно погляжу на их Настю. Интересно, какой она стала.

Лали была расстроена. Странный какой человек... На ровном месте сорвался, убежал... Не позвонил, не попрощался... То он в любви объясняется, то... думала она по дороге домой. Что я сделала не так? Не знаю, я только не кинулась ему на шею. А ведь если бы по-настоящему хотела, то кинулась бы... Я ведь могу... Я девчонкой была, а к Иванычу кинулась... А как Родион сказал сегодня: я люблю вас иначе, чем ваш муж... Да уж... Но ведь я понимаю, он другой, не такой как Иваныч, просто не Иваныч... Значит, с ним и должно быть все по-другому.

Она въехала в гараж. Стоял совсем легкий морозец, градуса четыре от силы. Примчался Вир. Ткнулся носом в руку.

— Что, мальчик, соскучился? Я сегодня поздно, а где наш кошак?

Она вошла в дом и на подстилке Вира обнаружила свернувшегося клубочком котенка. Взяла на руки. Вир заскулил.

— Это что за новости? Ты его совсем присвоил, что ли? Я не обижу.

Вир тявкнул.

— Ты, по-моему, сдурел, парень. — Она потрепала собаку по загривку.

Первым делом она налила молока в блюдце для котенка, мясо ему давать еще рано, у него глазки еще голубые, молочные. Покормила пса. Потом поела сама. Нехотя, не чувствуя вкуса, просто потому что надо. Убрала посуду. Не буду я устраивать Новый год. Просто спать лягу. А Петька с Анне-Лорой встретят в своей компании, как захотят. Что-то нет сил. Такой тяжелый был день.

В довершение всех сегодняшних прелестей под конец рабочего дня в магазин ввалилась группа женщин, она не поняла, кто они по национальности. Женщины долго гомонили, шумно восторгались, но ушли, ничего не купив. Потом выяснилось, что они украли две нитки очень дорогих бус. Это была последняя капля. Ирма требовала заявить в полицию, но Лали, представив себе всю процедуру, махнула рукой.

— Ирма, черт с ними. Ворованное добро все равно им впрок не пойдет. А я выдохлась. Все. Не могу.

Ирма внимательно на нее посмотрела и только пожала плечами.

И лишь когда они, закрыв магазин, шли к стоянке за своими машинами, она сказала:

— Я даже не подозревала, что ты такая дура.

— Какая есть, — огрызнулась Лали.

— Да ради бога... дело твое...

Лали так и не поняла, к чему именно относилась эта оценка. К истории с Родионом или к краже бус?

Фаина работала в крупном глянцевом журнале. Считалась весьма острой и талантливой журналисткой. Стадию дешевых скандалов она давно миновала. Сама редко делала материалы, так как полгода назад стала правой рукой главного редактора, вернее, редакторши, которая постоянно тусовалась на телевидении, что обеспечивало журналу значительный прирост тиража, однако вся основная работа была теперь на Фаине. Она этому радовалась, поскольку светские тусовки терпеть не могла. Гоняться за богатыми мужчинами считала ниже своего достоинства, давно и безнадежно любила Родиона Шахрина, но никогда не давала ему это понять, сознавая, что ей ничего не светит и боясь потерять хотя бы его дружбу. Она надеялась, что Платон, быть может, заменит ей брата, но мгновенно сообразила, что это невозможно. Она заводила быстрые романы, потом решила родить ребенка. Но ничего не получалось. Готовясь к сегодняшнему обеду, она заглянула в отдел косметики.

— Девочки, у меня нынче важная встреча. Нужен новый макияж. Дневной, но сногсшибательный.

— Ты и так выглядишь сногсшибательно.

— Может быть, но это на новенького. А мне надо на старенького.

— По возрасту или по стажу знакомства? — поинтересовалась довольно ехидная дамочка по имени Валя, а по прозвищу Эстерсита.

— По стажу.

— На, попробуй эти тени. Изумрудный оттенок. Вот тут растушуешь и совсем чуточку вот тут, глаза станут еще зеленее, а тени на смуглой коже будут почти незаметны.

— Спасибо, Эстерсита. Попробую.

— Хочешь, я тебе нарисую?

— Да нет, спасибо, я сама.

Действительно, получилось здорово эффектно. Хотя Родька все равно не заметит.

Он и вправду не заметил. Только чмокнул ее в щеку и сказал как обычно:

— Классно выглядишь, девушка.

— А ты что-то не очень.

— Устал. Старость — не радость.

— Что я слышу, Родя?

— Сорок шесть, факт неоспоримый.

— Да ладно... Просто тебе жениться надо.

— Женится? Уж не на тебе ли, девушка?

— Можно и на мне. По крайней мере никаких сюрпризов. Я вполне престижная жена. Готовлю хорошо. Красивая опять же.

Так, нарвался, испуганно подумал Родион. Правда, ее шутливый тон позволял сманеврировать как угодно.

— Да ты что... Ты меня просто не знаешь, я очень мил на расстоянии, просто прелесть, можно сказать, а при ближайшем рассмотрении я настоящий монстр. И слишком хорошо к тебе отношусь, чтобы подкинуть такую подлянку.

— Ты чего так испугался, я же пошутила.

— Так я и понял. Я тоже шучу. Ну, куда прикажете, девушка?

— Поскольку я не за рулем, хочу имбирной настойки.

— Понял. Значит, «Твин Пигс».

— Ну да, по крайней мере близко, всегда можно сесть и вполне нормальная жрачка.

— Согласен.

Когда они сделали заказ, она спросила:

— Родя, что тебя занесло в Мюнхен?

— Расскажу, но сначала хочу спросить, хочешь пойти со мной на Новый год к моим друзьям?

— К каким друзьям?

— К Долговым.

— Хочу. А что за люди?

— Хорошие. Теплые. Я их сто лет знаю, мы вместе отдыхали на Корфу. Олег чудный малый, добрый, душевный. Вавочка, его жена, милая, прекрасно готовит. У них вкусно, уютно, категорически не гламурно.

— Да? Я с удовольствием, Родя, — улыбнулась Фаина и подумала: что ж, как встретишь Новый год, так его и проведешь. Я встречу его с Родькой... Это хорошо. А он какой-то на себя не похожий. Грустный и все время как будто мимо смотрит. Неужто влюбился? И сдается мне, без взаимности. А так ему и надо. Я вон сколько лет его люблю, а он... Но я гордая.

Тут она заметила вошедших в ресторан двух мужчин. Одного из них она тщетно разыскивала уже целую неделю, он был нужен ей позарез. Мужчины, не заметив ее, прошли в другой зал.

— Родя, прости, я брошу тебя на пять минут.

— Нос попудрить?

— Да нет. Тут один ценный клиент, я его ловлю-ловлю. Это везение, его нельзя упускать.

— Девушка, это свинство бросать меня одного.

— Родя, дело превыше всего. А ты пока полистай мой журнал, последний номер.

— Безумно интересно!

— Посмотри, у нас фотографии офигенные.

Она глянула на себя в зеркальце.

— Да хороша, закачаешься.

— Так и нужно, все ради журнала. Кстати, там есть шикарный фоторепортаж из Мюнхена.

— Да? — вяло откликнулся Родион.

Но Фаина уже исчезла. В ожидании заказа он стал лениво листать журнал. Тяжелые глянцевые страницы обещали рай на земле. Ага, а вот знакомая картинка. Мариенплац. Фотография действительно классная. Это был репортаж о пребывании в Мюнхене известной, по-видимому, в очень узких кругах женщины, то ли бизнес-вумен, то ли чьей-то жены. Читать ему было лень. Женщина была недурна собой, хоть и не юна. На снимке она сидела на краешке фонтана. Он перевернул страницу. Там дама пила пиво в той самой гигантской старинной пивной, где он чувствовал себя таким счастливым. Черт побери, как все мимолетно... На втором снимке героиня в вечернем платье от Оскара де ла Рента на каком-то приеме. На третьем в баварском народном костюме на каком-то празднике. Он опять перевернул страницу и чуть не вскрикнул. На крупном снимке стояла героиня репортажа рядом с... Лали. Он не поверил своим глазам. Подпись под снимком гласила: «Вот так встреча! Евгения заглянула в бутик, где продают эксклюзивные украшения, хозяйка которого Лали Браун оказалась давней приятельницей нашей героини». На снимке были четко видны витрины с ее изделиями. И сама Лали в стильной черной рубашке с ярко-бирюзовым шарфиком на шее. Боже, зачем это? Как нарочно, Лали была необыкновенно хороша. Он не мог оторвать от нее взгляда. Идиот! Чего я взбеленился? Ведь еще немного и... Он невольно погладил снимок. Вот теперь вместо того, чтобы встречать Новый год в ее доме, с ней, с родным племянником, я буду жрать Вавочкины пироги вместе с Фаиной... Ну что ж, брат Родя, ты свой выбор сделал. Эта баба тебе не по зубам. Так женись на Фаине и радуйся хотя бы тому, что она будет счастлива. А будет ли? Ей кажется, что да...

Он не заметил, как к столику вернулась Фаина в сопровождении мужчины.

— Родя, вот, познакомься...

— Родион Николаевич, я страшно рад, давно хотел познакомиться, я в восторге от вашего журнала.

— Спасибо. С кем имею честь?

— А я издатель. Игорь Шувалов. Вы, может, слышали, я создаю новую издательскую структуру, хочу попробовать побороться с двумя нашими монстрами... — Внезапно взгляд его упал на раскрытую страницу журнала. — Постойте-ка, быть не может... селедка!

Родион и Фаина уставились на него как на сумасшедшего.

— Игорь, о чем ты, какая селедка?

— Да погоди... — отмахнулся Шувалов. — Нет, видно я обознался...

— Да о чем ты?

— Понимаешь, я в юности хотел стать врачом, учился в Первом меде, и был влюблен в девушку, которую звали Ева Кулагина. Но она меня шугала, и я от обиды прозвал ее девственной селедкой.

— Как? — в один голос воскликнули Фаина и Родион.

— Девственная селедка! Она была такая худенькая, нежная. Но я, видимо, обознался. Хотя похожа как две капли воды.

— Ну надо же, а она знала об этом прозвище? — полюбопытствовала Фаина.

— Конечно.

— И чем кончился роман? — спросил вдруг повеселевший Родион.

— Да именно никакого романа не было. Ева после третьего курса бросила институт, говорили, вышла замуж за какого-то политзаключенного, а может, врали, но я ее больше не видел... Черт, а это все-таки она. Надо будет наведаться в этот магазинчик, я часто бываю в Мюнхене. Интересно, может сейчас она будет более сговорчивой, эта селедка.

— Да уж, девственной ее вряд ли можно считать, — засмеялась Фаина.

Родиону захотелось убить обоих.

Фаина скользнула по нему взглядом и что-то заподозрила.

Когда Шувалов отошел, она вдруг спросила:

— Родька, ты что, знаешь эту... селедку?

— Да откуда?

— Ой, не ври своим ребятам!

— С какой стати мне врать? Скажи лучше, ты добилась, чего хотела?

— В каком смысле?

— Ну ты же помчалась ловить этого мужика.

— А, да... Все в порядке. Родя, что у тебя стряслось? Ты что, влюбился в эту женщину? — Она ткнула умопомрачительно алым ногтем в фотографию Лали.

— А если и так? — вдруг разозлился Родион.

— А она тебя продинамила. Понятно. Ты не привык к обломам, взбесился и сбежал из Мюнхена.

Кажется, она меня и вправду любит, подумал он. Бедная...

— Молчишь... Значит, я права. Родька, ну зачем тебе сдалась эта баба? Или все дело в сопротивлении? Ты добиваешься, она не дает, тебя это еще больше заводит, так?

— Девушка, ты лезешь не в свое дело.

— Все, молчу.

— Молчать не надо, просто поговорим о чем-нибудь другом.

Скотина, мерзавец! И чем эта селедка лучше меня?

— Согласна, — сказала она уже вслух. — Знаешь, мне сегодня дали материал... Пишет одна дама, считающая себя образцом...

— В какой области?

— А во всех. Музыка, литература, мода, любовь...

— Судя по твоему тону, все это ей только кажется?

— Конечно. И к тому же она все время пишет «иль» вместо «или». Какая безвкусица...

— И что ты сделала?

— Ничего. Это ее безвкусица, зачем я буду это исправлять? Это же неграмотностью не назовешь.

— Тоже верно.

— Родька, о чем мы говорим? Тебя же что-то мучает. Расскажи старой боевой подруге, может, я дам тебе дельный совет. Помнишь, я вела колонку в газете, давала бабам советы... Могу и мужикам...

— Девушка!

— Родька!

— Да нет, там совершенно все не так, как ты вообразила... Другая история...

— Ну, была бы честь предложена.

— Слушай, я знаешь что подумал...

— Ну?

— А может нам пожениться, а?

— С ума сошел? — вспыхнула Фаина.

— Ты ж сама просила на тебе жениться. Сегодня.

— Нет, Родя. Я шутила. И жениться нам с тобой ни в коем случае нельзя.

— Почему это?

— Потому что ты старый холостяк, а это гадость. Потому что ты меня не любишь... А я гордая девушка. И хочу, чтоб муж любил меня или хотя бы умел притворяться.

Она не сказала: мы не любим друг друга. А только ты меня не любишь...

— А может, это преодолимо?

— Родька, тебе так плохо? — она дотронулась до его судорожно сцепленных рук.

— Если честно, хуже не придумаешь.

— Из-за нее?

— Да я не знаю, это такая запутанная история, в нее некоторым образом замешан еще мой братец... Хрен разберешь...

— Расскажи, не держи в себе, легче станет.

— Мне? Может быть. А тебе... это зачем?

— Ты сколько раз выслушивал мои идиотские истории... И, кстати, давал мне иногда неплохие советы. А вдруг и я сгожусь?

— Ты действительно этого хочешь?

— Да. — Фаина боялась и в то же время жаждала услышать эту исповедь любимого мужчины. Вдруг я что-то главное о нем пойму?

— Тогда мне надо выпить. А я за рулем.

— Не страшно. Оставишь машину и поедешь на такси. Завтра заберешь.

— Ну нет. Перед Новым годом по Москве фиг проедешь. Ничего, я даже пьяный хорошо вожу.

— Нет, тогда так. Тебе сегодня нужнее. Ты выпьешь, а я сяду за руль.

— Годится. Только мне твоя имбирная как слону дробина. Девушка, принесите мне вместо имбирной обычную водку.

— Хорошо, а то я как раз хотела сказать, имбирная кончилась.

— О! Тогда сам бог велел... Фаина, ты уверена, что хочешь слушать этот бред?

— Сто пудов.

— Тогда слушай...

Он рассказал ей все. Она слушала с задумчивым видом. Надо же, эк его припекло... Счастливая эта селедка. И муж у нее, похоже, был что надо мужик и Родька вот с катушек слетел... А я... почему мне так не везет? Или я не там ищу?

— ...Ну вот, собственно, и все. Что скажешь?

— Ты влип.

— Это я и сам понимаю.

— И знаешь почему?

— Нет.

— Потому что эта твоя... кажется слабой, а на самом деле она очень сильная. Она сразу дала тебе окорот, поставила на место, и ты принял ее условия игры. Но ты совершенно не способен играть по чужим правилам. И если бы ты играл по своим, она давно уж была бы твоя. Ты боялся оскорбить ее в лучших чувствах, боялся до нее дотронуться, а она, может быть, чисто подсознательно, ждала от тебя настоящего мужского напора, решительных действий...

— Каких действий? По-твоему, я должен был хватать ее и волочь в койку, еще там, на острове?

— На острове нет, но в Мюнхене безусловно. Ты, Родя, сказал «а», а «б» сказать не решился. Надо было не миндальничать... Когда ее сын ушел, ты обязан был хотя бы поцеловать ее. Ты считаешь, что она такая «девственная селедка», а она, я уверена, очень даже горячая штучка. У нее элементарно давно не было мужика, а ты рот разинул.

— Думаешь, так просто? — поразился он.

— Я, конечно, ее не знаю, но... Пойми, у вас слишком много было слов, а она взрослая баба, в самой поре, ей действия нужны.

— Ерунда, для действий нужны хоть какие-то условия. А мы... мы наедине-то не были.

— Врешь, сам говорил, что были вдвоем в этой подсобке.

— Да.

— И ты даже не попытался ее поцеловать... Ты вообще ни разу даже не поцеловал ее. Как ты мог понять, хочет она тебя или нет? Она не из тех, кто будет вешаться мужику на шею. И вообще, Родя, я тебя не узнаю. Ты ли это?

— А ведь ты права... Это не я.

— В том-то и дело.

— А ты почему такая умная?

— Да где я умная...

— Умная, в этом-то твоя беда.

— Что ж мне, идиоткой прикидываться? Поздно уже. Надо было начинать лет с пятнадцати...

— Ну, и что, по-твоему, мне делать?

— Езжай назад, в Мюнхен, но не сейчас, выжди дней десять. А числа десятого спокойно полетишь. Приди к ней...

— И что, по-гусарски, хватать в шубу, в сани и прямиком в церковь, венчаться?

— Милый Родя, я читала «Метель», читала «Войну и мир» и ничего подобного я тебе предлагать не намерена. Ты явись к ней и не разводи лялятополя, а просто подойди, обними и поцелуй. А там будет видно. Может и тебе еще не понравится, как она целуется. Или ей. Но главное, фактор внезапности... Она должна уже потерять надежду на твое появление. Поверь мне, она себя ругает, ты ведь для нее кое-что сделал, и не так мало... Она благодарна тебе, ее к тебе тянуло, а ты сорвался с места, уехал, то есть она наверняка считает, что обидела тебя. И мучается раскаянием.

— Я подумаю над твоими словами.

— Вот-вот, подумай. Но не раньше десятого января, чтобы она уже ждать перестала.

— Я не выдержу.

— Выдержишь! Ну в крайнем случае трахни какую-нибудь девку, для тебя это не проблема. Хотя я бы на твоем месте этого не делала.

— Почему, интересно знать?

— Ты уж не мальчик. Подкопи энергию-то. Чтобы она почувствовала, как ты изголодался.

— Ну ты и стерва!

— Да уж какая есть.

В отличие от старшего брата Платон неоднократно бывал в Мюнхене. Однако он не любил этот город. Видимо потому, что в первый свой приезд заболел тяжелым гриппом. Ему все здесь было не в радость, хотя по делам и приходилось раза три летать сюда из Нью-Йорка. Узнав, что Ева живет именно в Мюнхене, он расстроился. Ничего хорошего не ожидал от этого города. Наивная уловка брата, назвавшего ему не тот отель на Корфу, только позабавила его. Неужто Родька такой дурак? Неужто думал, я на этом остановлюсь? Или так здорово влюблен в Еву, что понадеялся на русское авось? Авось я не стану ее искать? Глупо, Родион Николаевич, чудовищно глупо. Странно, что мы оба запали на нее. Это что, генетическая тяга именно к этой бабе? Бред. Соперниками мы никогда не были. Да мы и тут не соперники. Он, кажется, и вправду не знает даже ее фамилии. Впрочем, неважно. Но вся история с братом, с этой Фаиной, которую он мне подсунул, означает только одно. В Москву я больше ни ногой. Не хочу. Вот разберусь с Евой, с сыном, и все. Можно считать, что я подвел черту под прошлой жизнью. Но найти сына важно. Конечно, придется пройти через истерики, вопли, вранье... Но я пройду. Я добьюсь генетической экспертизы. Хотя я и так чувствую — это мой сын. И он мне нужен. Взрослый сын... Надо же... Да, не зря мне снилась эта сучка... И ведь какое стечение обстоятельств... Если бы Родька не втюрился в нее, я бы мог искать ее до скончания века. Это большая удача, настоящее везение. Конечно, нельзя знать, что там с этим парнем, какой он. Родька говорил, красавец. Ладно, для начала визит к Еве. Вернее, Лали. Она живет за городом. Значит, лучше искать ее в городе, в магазине. А то приедешь и поцелуешь дверь. А войти в магазин может каждый. Воображаю, как она удивится...

Он не стал раздумывать больше и прямиком направился к магазину. Магазинчик что надо, наверняка, тут аренда стоит бешеных денег. Очень престижное местечко. Он хотел уж было войти, но заметил, что за прилавком стоит незнакомая женщина. Войти или подождать? А может, Ева тут и бывает не каждый день? Может, вообще не стоит за прилавком? Правда, прилавком я бы это изящное сооружение не назвал. Народу в магазине не было. Женщина что-то протирала. А с какой стати мне терять время? Войду и спрошу, как мне найти Лали.

Он решительно толкнул дверь. Ирма подняла голову. Улыбнулась. Сказала по-английски:

— Добрый день. Вы хотите что-то купить? В подарок?

— Нет пока. Я бы хотел видеть миссис Браун.

— Простите, а вы кто? — вдруг насторожилась женщина.

— Извините, но у меня разговор с миссис Браун. Конфиденциальный, — произнес он жестко. — Если ее сейчас нет, скажите, как я мог бы ее найти?

— Не нужно ее искать. Она здесь. Но что мне ей сказать?

— Скажите, что ее спрашивает...

В этот момент дверь из подсобки открылась.

Он увидел Еву. Она была ослепительна. В черном плаще, затянутом широким мягким поясом на тонкой талии, на высоких каблуках. Она как раз надевала тонкую кожаную перчатку.

— Ирма, я ухожу...

— Ева!

— Тоник? — она была совершенно спокойна.

— Ева! Ты не удивлена?

— О, Тоник, у меня в этом магазине бывают самые поразительные встречи. Так что я не слишком удивилась. Ты хочешь что-то купить своей даме или жене?

Он растерялся.

— Нет, я просто зашел... Хотя нет, я искал тебя.

— Искал? Зачем?

— Ева, надо поговорить.

— Видишь ли, я уже очень давно не Ева, а Лали.

— Что за бред, зачем менять имя?

— Я просто не хотела быть Евой Браун.

— Ты могла бы быть Евой Шахриной.

— Лали, — тихо сказала Ирма. — Может, мне уйти?

— Нет. Тоник, здесь не очень удобно разговаривать. Хотя я не понимаю, о чем, собственно, нам говорить.

— Да уж найдется. И я требую разговора с глазу на глаз.

— Требуешь? — подняла бровь Лали. — С какой стати ты можешь от меня чего-то требовать?

Черт, она великолепна! Ни следа от той девчонки... Она стала еще красивее... А как держится... Наверное, я все-таки ошибаюсь, и сын вовсе не от меня... Иначе она бы испугалась...

— Прости, Ева, я хотел сказать... Нет, все-таки нам необходимо поговорить.

— Хорошо. Давай пойдем, у меня важное дело. Ты меня проводишь, по дороге поговорим. Ирма, я ушла.

— Иди-иди, — прошептала Ирма и незаметно перекрестила Лали.

Они вышли на улицу. День был солнечный.

— Как ты меня нашел, Тоник?

— Кто ищет, тот всегда найдет.

— Допустим. Но зачем тебе вздумалось искать меня через столько лет? Согласись, это странно.

— Да нет... Мне это странным не кажется. Постой, невозможно вести этот разговор вот так, на ходу.

— Видишь ли, я работаю, у меня важное дело, откладывать его возможности нет. Но если ты так настаиваешь, потом я могу с тобой выпить кофе.

— Хорошо. Согласен.

— Тогда, может быть, мы договоримся, что встретимся где-то, ну скажем, через час?

— Нет, я пойду с тобой. Просто поговорим о другом.

— Как угодно.

— Ева, ты, значит, так и не стала врачом?

— Нет. В первые годы в Германии было очень трудно, я не знала языка, а потом... Я уже не захотела.

— Понятно. А с мамой своей ты встретилась?

— Да, но... Ты же помнишь маму, она всегда была немножко странной. Они тогда все-таки уехали в Америку. А через несколько лет мама разошлась с мужем и уехала к каким-то индейцам. Потом перебралась в Перу. И сгинула. Я никогда по сути не была ей нужна. Я поняла, что когда человек с темными непросвещенными мозгами, да еще художественно одаренный, сталкивается с чем-то то ли мистическим, то ли просто модным, не в смысле одежды, конечно, с модным течением, что ли, у него быстро съезжает крыша.

— У, как безжалостно. На тебя это даже не похоже. На тебя прежнюю.

— А меня прежней давно нет. Ну, вот мы и пришли. Подожди меня вон в том кафе, я буду минут через двадцать.

Она вошла в какую-то контору.

А он поплелся в кафе. Да, она непрошибаема! Но я ее все-таки прищучу! Но какова... Деревенская в сущности девка, а какой шик, какой аристократизм в каждом жесте. А может приударить за ней, жениться? Ну, это вряд ли. К тому же я уверен, у нее отбою нет от мужиков. Такие холодные стервы обычно пользуются успехом. Он сразу заказал кофе и воду без газа, хотя ему не нравилось это кафе. Тут курили.

Через пятнадцать минут вошла Ева.

Он вскочил ей навстречу. Помог снять плащ. Она была в строгом сером платье с бирюзовым шарфом. Глаза тоже казались ярко-бирюзовыми. Она села, достала из сумки изящный кожаный портсигар и зажигалку.

— Будьте добры, мне капучино с корицей, — улыбнулась она девушке-кельнерше.

— Ева, ты куришь? — поморщился он.

— Да. Тебе неприятно? Так я тебя не держу.

— Ева, ты почему хамишь?

— Потому что не понимаю цели твоего появления.

— Я хочу видеть сына.

— Зачем?

Он вконец растерялся. Ждал, что она хотя бы спросит, какого сына, начнет возмущаться. Но нет.

— Что значит зачем?

— Зачем тебе понадобился сын?

— Я хочу его видеть. Это же мой сын?

— Ну и что?

— Как ну и что? Я имею право...

— Хорошо. Я дам тебе его телефон. Позвони ему и договорись о встрече. Он уже взрослый и я тут не при чем.

— То есть ты хочешь сказать, что он в курсе?

— Да.

— Но зачем?

— Что зачем?

— Зачем ты ему сказала?

— Потому что я могла предположить, что в один прекрасный день ты заявишься ко мне с этим разговором. И не хотела травмировать сына.

— Но с чего ты взяла, что я появлюсь? Я же только совсем недавно узнал, что у тебя есть сын. И буквально почувствовал, что он мой.

— Вот видишь...

— Так ты и вправду не против, чтобы я с ним увиделся?

— Нет.

— С ума сойти... — он был совершенно сбит с толку. — Тебя предупредил мой брат?

— Нет. Просто когда я совершенно случайно познакомилась с твоим братом на Корфу, я быстро оттуда уехала, и решила подготовить сына к возможности такого поворота дел.

— Ну, ты даешь... Впрочем, ты всегда была холодной и расчетливой.

— Расчетливой? — Ева опять подняла бровь.

— Ну, не в материальном смысле...

— Да уж.

— Так дай мне телефон.

— Пожалуйста, записывай. — Она продиктовала ему два номера.

— Спасибо.

— Его зовут Петер.

— Петя, значит... Послушай, Ева, я помню, когда вернулся из байдарочного похода, мама мне сообщила, что у тебя появился другой. Я помчался к тебе...

— И что?

— Там у тебя делал ремонт какой-то старый мужик. Это и был твой хахаль?

— Представь себе.

— Но что ты в нем нашла?

— Всё, Тоник, абсолютно всё. Мужа, фантастического любовника, друга, отца, которого не знала, словом, абсолютно всё.

— А он был в курсе, что ребеночек не его?

— Конечно. Ты же знаешь, я терпеть не могу вранья.

— Знаю, — вздохнул он. — Что, так-таки и прожила жизнь ни разу не соврав? — недобро прищурился Платон.

— Ну почему? Соврать по мелочи, для спокойствия близких, это не страшно, а вот глобального вранья не выношу. Оно мешает спокойно спать.

— Но ты же врала сыну, что этот твой старикашка его отец?

— Ну, во-первых, я надеялась, что никогда больше тебя не увижу, во-вторых, он был ему настоящим, я бы даже сказала, идеальным отцом, а в-третьих, этот, как ты изволил выразиться, старикашка, даже в последний год жизни в постели давал фору тебе двадцатитрехлетнему!

— Ну ты и сука, подлая грязная сука! — прошипел он.

— Возможно. Но ты сам напросился. Все, Платон Николаевич, с меня довольно. Я дала тебе телефон сына. А с тобой мне неохота дальше общаться.

Она встала, но он схватил ее за руку.

— Подожди, тварь!

— Что еще?

— Сядь, хуже будет.

— Ты мне угрожаешь?

Он выпустил ее руку.

— Сядь! Ева, прошу тебя, сядь!

— Что еще?

— Скажи мне только одно...

— Ну?

— Что у тебя с моим братом?

— Ничего. Ровным счетом ничего.

— И он тебе даже не нравится?

— Нравится. Вернее, нравился... там, на Корфу. А больше я его не видела.

— Думаешь, я поверю? Это же не глобальное вранье, а так, мелочь, для спокойствия души.

— Послушай, это твои проблемы. Все, что ты хотел узнать, ты узнал.

— Я уверен, что ты настроила сына против меня.

— Даже не собиралась.

— Ой ли!

— Да зачем мне это? К тому же ругая тебя, я бы только уронила себя. Я больше тебе скажу... Если ты сумеешь найти подход к Пете, я буду даже рада. Только один совет на прощание.

— Любопытно.

— Не вздумай ругать меня. Этого он не прощает. Желаю удачи. Пока.

Лали влетела в магазин. Слава богу, покупателей не было.

— Ну что? — сразу спросила Ирма.

— Черт знает что! Я такого ему наговорила... Понимаешь, он меня бесит, я совершенно не могу его выносить. Мне противно даже, когда он до меня дотрагивается.

— Слушай, Лали, он же красивый мужик и, кстати, Петька здорово на него похож. Но что же все-таки было?

Лали быстро пересказала подруге весь разговор с Платоном.

— Лали, ну так нельзя... — огорчилась Ирма. — Разве можно говорить мужику такие вещи!

— Какие вещи?

— Ну будто он в постели ничто.

— Нельзя. Я разве спорю? Мне самой стыдно, но когда он назвал Иваныча старикашкой...

— Так недолго и импотентом мужика сделать.

Лали фыркнула.

— Ну ты и стерва.

— Да какая я стерва... Но я его не могу выносить. Даже не понимаю почему. Я же собиралась за него замуж когда-то. И противен он мне не был.

— А может, дело в брате?

— Да нет. Они совсем разные, — она тяжело вздохнула.

— Жалеешь, что он уехал тогда?

— Нет. Просто я благодарна ему... Если бы он не предупредил, что Тоник может заявиться, было бы куда хуже.

— А он не догадался?

— Догадался, конечно, но я твердо стояла на том, что после Корфу не видела Родиона.

— Значит, ты вбила клин между братьями.

— Я? Да что ты... Родион первый сдал брата.

— Вот то-то и оно.

— Да ладно, Ирма. Это уже в прошлом. Мне оба брата не нужны.

— Позволь тебе не поверить.

— Это твое личное дело.

— Хочешь совет?

— Попробуй...

— Позвони Родиону и расскажи, что Платон приехал и поблагодари за предупреждение. Только и всего.

— Совет хороший, но я, извини, им не воспользуюсь.

— Можно узнать почему?

— Потому что я гордая. Он ни с того, ни с сего удрал, а я буду ему звонить? Да никогда. Такой звонок означал бы аванс, а я не намерена его авансировать. Все ясно?

— Более или менее.

Лали сидела в кабинете покойного мужа и методично перебирала его бумаги. Ей необходимо было найти один документ, затребованный фирмой, в которой Иваныч работал много лет. Все бумаги у него содержались в образцовом порядке, однако нужный документ пока не находился. Ей казалось, что бумаги хранят его запах. От этого она как-то размякла, расчувствовалась, нудное на первый взгляд занятие доставляло удовольствие. Это был мир Иваныча, куда ей доступа не было. Наконец, документ обнаружился. Но она уже не могла оторваться... Просматривала все ящики. В одном из них обнаружила початую коробку очень дорогих сигар. Иваныч курил сигары крайне редко, только в минуты особого напряжения. Сигары упоительно пахли... А еще она нашла небольшой фотоальбом. Хотела взять его в руки, но вдруг испугалась. Она никогда прежде не видела его. Что же такое там может быть? Страшно. А вдруг там фотографии каких-то женщин? Она убрала альбом обратно в ящик, но он неудержимо ее притягивал. Я не смогу просто забыть о нем. Она открыла альбом и... слезы градом хлынули из глаз. В альбоме были ее фотографии, любовно разложенные в хронологическом порядке. Вот она такая, какой он увидел ее впервые. Простенькая девушка в ситцевом платье, с косой, перекинутой на грудь. Этот снимок был сделан на первом курсе. На следующей фотографии она уже беременная, в вязаной кофточке. И так двенадцать снимков. Последний был сделан во время круиза по Карибскому морю. Она в черном вечернем платье, подпоясанном зеленым длинным шарфом, с изумрудными сережками в ушах. Платье и серьги были подарком на пятнадцатилетие их брака. Боже ты мой... Как он меня любил... А я? Я до сих пор его люблю. Говорят, любовь и страсть быстро умирают. Да ничего подобного... Она перевернула последнюю страничку альбома и вдруг увидела записку. Почерк Иваныча. Записка была адресована ей. «Девочка моя, ты найдешь эту записку только когда меня уже не будет. По-моему, этот альбом красноречивее любых слов говорит о моей любви. Так вот, прошу тебя, живи на всю катушку, так как ты умеешь. Будь веселой, красивой, жизнерадостной. И постарайся найти себе мужчину. Нельзя хранить верность покойнику. Это глупо. Жизнь не для того дается. Погоревала и будет. Я думаю, сразу выходить замуж не стоит. Но жить полной жизнью необходимо. Я уверен, что такая прелестная женщина не останется одна. И я благословляю тебя на этот шаг. Я знаю, ты все равно будешь помнить и даже любить меня. Но жить надо не прошлым. И знай — я был с тобой бесконечно счастлив, с первого до последнего дня. Прости, что потянуло на пафос, но, знаешь ли, в такой ситуации это можно извинить, правда?»

Она разрыдалась. Слезы лились ручьем, но с ними из груди уходила боль. Иваныч как всегда прав. Замуж выходить я не буду, а жить на полную катушку... наверное смогу. Правда, непонятно, с кем... Но было бы желание, а желающие найдутся, как любит говорить Ирма. Родион? Да нет, не нужно. Хватит с меня Шахриных. И вообще... Это легко было написать «живи», а как? Если именно что желания нет? Показалось на мгновение, а он сбежал...

Вдруг раздался звонок. Кого это принесло в такой час? Родион? Нет, ерунда, он же не знает, где я живу.

Она нажала на кнопку видеоустройства. Какой-то мужчина. Лица не рассмотреть.

— Кто там?

— Ева, это Платон. Открой.

— Что ты хочешь?

— Поговорить!

Она нажала на кнопку. Он вошел в калитку. Она открыла дверь.

— У вас в Америке не принято разве звонить по телефону?

— Ага, вот ты и прокололась!

— В чем это?

— А откуда ты знаешь, что я живу в Америке? Я об этом ничего не говорил. Значит, все-таки Родька... Ну и что? Ты с ним спишь? Он как, в сравнении с твоим фантастическим любовником? Не очень проигрывает?

— Тоник, ты зачем приехал? Чтобы от этом спросить?

— Нет, я только сейчас понял, что ты с ним все-таки спуталась.

— Я ни с кем не спуталась.

— А откуда ж ты знаешь насчет Америки?

— Уж и не помню.

— Ну хватит, заврадась совсем. Да, домик недурной...

— Раз уж приехал, может, хочешь чаю?

— Нет, коньяку.

— Коньяку я тебе не дам.

— Это почему?

— Я одна здесь, а кто знает, что вскочит в голову пьяному мужику.

— Боишься, что я тебя изнасилую?

— Нет, этого я как раз не боюсь.

— А чего тогда? Я женщин не бью.

— Еще не хватало. Так все-таки зачем ты примчался сюда на ночь глядя? Говори и я вызову тебе такси.

— Я виделся с сыном.

— Я догадалась. И что?

— Он тебе еще не доложился?

— Нет. Но он и не должен.

— Слушай, Ева, я хочу сказать тебе, что ты редкая сука.

— Я уже поняла. Ты только это хотел мне сказать? Я вызываю такси?

— Нет, это только начало... Я понял, дело, очевидно, в классовой ненависти.

— Что? — опешила от неожиданности Лали.

— Да, да. Именно классовая ненависть. Ты чувствовала, что не годишься для нашей семьи, и в твоем положении не могла рассчитывать на законный брак, хоть ты и делала вид, будто инициатива принадлежит тебе...

— Так, очень интересно... — Лали опустилась в кресло и закурила.

— Не кури при мне, я этого не выношу.

— Не выносишь? Скатертью дорожка. А я в своем доме буду делать что захочу. Давай, развивай свою мудрую мысль.

— Ты сбила меня с толку.

— Ты говорил, что я пылала классовой ненавистью, а ты не мог на мне официально жениться.

— Ну да, именно. Ты обнаружила, что беременна, смолчала, понимая, что законный брак тебе не светит, аборт делать не пожелала, ну еще бы, первый аборт это опасно, тебе ли, медичке, было этого не знать, а тут подвернулся старый опытный прожженный кобель, из бывших зэков, без площади, вот он и решил взять ребеночка на себя, заодно и молодую красивую телку.

— Тоник, ты... Тебе не стыдно нести всю эту мерзкую чушь? Я думаю, твои папа с мамой на том свете краснеют за тебя.

— Не трогай моих родителей! Не смей!

— Извини. Дальше что?

— Ты своего добилась! Отняла у меня сына, унизила меня как мужчину, да еще соблазнила моего брата, единственного родного мне человека. Что ж, ты можешь торжествовать.

Она встала, взяла из буфета бутылку коньяку, налила в коньячный бокал.

— Выпей, может, придешь в себя.

Он залпом выпил коньяк.

— Еще!

Она налила. Ей было жалко его сейчас.

Он выпил. Поставил бокал.

— Еще?

— Да!

Она налила еще.

— Возьми хотя бы конфету, — посоветовала Лали.

— А ты что это вдруг расщедрилась?

— Мне жалко тебя, Тоник.

— Жалко? — Он позеленел. — Тебе меня жалко?

— Жалко.

— Это почему же?

— Потому что ты... Потому что ты как маленький, тебе не дали игрушку...

— Ты как была дурой, так и осталась. Жалеет она меня...

— Скажи лучше, как встретился с сыном?

— Встретился... Я ему триста лет не нужен.

— И он тебе, по-видимому, тоже?

— Глупости!

— Да нет... Зачем тебе взрослый парень, чужой совершенно, любящий память о другом отце? Которого нужно завоевывать еще... И ты прав. Тоник, найди себе хорошую красивую девушку, женись, сделай ребеночка, ты еще молодой, успеешь вырастить, воспитать.

В комнату вдруг вошел Вир. Потянул носом воздух и улегся у ног хозяйки.

— Хороший совет, — фыркнул Платон.

— И еще — найди себе девушку в России. И пусть ваш ребенок говорит по-русски. Тогда на старости лет он не покажется тебе чужим. Я знаю, что говорю. Поверь, я желаю тебе добра.

— Черт, я что-то окосел...

— Хочешь кофе?

— Хочу.

— Тогда идем на кухню.

Они перешли на кухню. Вир тоже явился за ними.

— Умница, — потрепала пса за ухом Лали и включила кофеварку.

— Он что, охраняет тебя?

— Да.

— А я внушаю ему опасения?

— Любой пьяный внушает ему опасения.

— Вон даже как... И ты что, одна в этом домище?

— Да.

— И тебе не страшно? Или у тебя тут любовник прячется?

— Никто у меня не прячется.

— Ну да, твой любовник в Москве. А он как, устраивает тебя в постели?

— Тоник, замолчи. Уши вянут.

— А с моим братом у тебя ничего не вянет, все только расцветает? Да?

— Пей кофе. И я вызываю такси.

— Я тут останусь.

— Нет, тут ты не останешься!

— Боишься?

— Тебя? Нисколько. Ты не страшный зверь, Тоник.

— Ага, значит боишься за свою репутацию в глазах соседей? Здесь же соседи всегда начеку. В случае чего всегда донесут, расскажут мужу.

— Боже, как ты пьян!

Она взяла телефон и вызвала такси.

— Гонишь?

— Гоню.

— Ладно, я поеду... Но не рассчитывай на Родьку. Он такой бабник... Поматросит и бросит. Ты ему, видно, еще не дала, вот он и ярится...

— С чего ты взял, что он ярится? Я об этом ничего не знаю.

— Зато я знаю. Он когда о тебе речь заходила, просто стойку делал... И пустил меня по ложному следу, как последний идиот! И вообще, он холодный, расчетливый гад. Я приехал к нему после стольких лет, а он почуяв, что я могу быть ему соперником, тут же подложил под меня свою девку, Фаину, чтобы отвлечь от тебя. Разве порядочные люди так поступают? А девка любит его так, что на все для него готова...

Лали вздрогнула. Известие о какой-то Фаине неприятно ее поразило.

— А ты, конечно, воспользовался?

— Почему бы и нет? Она настоящая красотка и моложе тебя. Но я не люблю трахать баб, которые любят других.

— А тебя, Тоник, кто-нибудь любит?

— А мне не надо! Я вообще всю эту хренотень про любовь не признаю, выдумки! Думаешь, я тебя любил? Ни фига, мне просто казалось, ты красивая была, тело опять же. И удобно, с квартиркой... Да, хотел жениться, чтобы трахать сколько захочу...

— Тоник, хватит, машина пришла. Пойдем, провожу тебя. — Ей было его безумно жаль.

— Ладно, я... я, кажется, проиграл...

— Ты еще выиграешь, какие твои годы.

Утром Лали позвонил сын.

— Мамочка!

— Да, Петенька. Как все прошло?

— Странно, но никак. По-моему, мы друг дружке не понравились. Было ощущение какой-то ненужности для нас обоих... Что-то такое лишнее, обременительное... Хотя я честно пытался... Он тоже... Но ничего не высеклось... Никакой искры. А вот с его братом я сразу, еще на Корфу, что-то почувствовал, какое-то родство...

— Петенька, этого не нужно тоже.

Родион маялся. Новый год прошел как-то вяло. Большинство гостей у Долговых было ему незнакомо. Обычно душа компании, на сей раз он был молчалив и невесел.

— Родя, что с тобой? — спросила его Вавочка. — Твоя Фаина просто прелесть, красоточка.

— Да, бесспорно, и прелесть, и красоточка.

— Я тебя не узнаю. Где прежний огонь?

— Огонь? Да погас, видно.

— Погас? Не верю. Вот что, Родька, вали-ка ты в Мюнхен, чего время зря теряешь?

— Вавочка, милая, я знаю, ты мне добра желаешь.

— Факт. Желаю. Хоть и не разделяю твоего восторга по поводу этой Лали. По-моему Фаина лучше. И любит тебя.

— Это что, так заметно?

— Невооруженным глазом. Как, впрочем, и то, что эта любовь без взаимности.

— Вот ты все и сказала.

Фаина, в начале вечера сиявшая красотой, тоже вдруг сникла.

— Родь, я хочу уйти, что-то я неважно себя чувствую.

— Я тебя отвезу и тоже поеду домой.

— Ты же пил. Давай поймаем машину.

— Давай.

Ему вдруг страшно захотелось домой. Они тихонько вышли, оделись. Олег застал их уже в дверях.

— Смываетесь, собаки? — он был изрядно пьян. — Так нечестно.

— Олежек, прости, мы хотели по-английски...

— Все, умолкаю, никаких претензий. По-английски так по-английски. С Новым годом, с новым счастьем.

Первого января Родион проснулся в своей постели, но совершенно больной. Неужто подцепил грипп? Ну и ладно. В Москве сейчас никто работать все равно не будет еще две недели, первый номер давно сдан, второй на подходе, можно и поболеть в свое удовольствие. Ни о чем и ни о ком не думать. И не отвечать на телефонные звонки, чтобы Фаина не узнала, что я болен, а то примчится за мной ухаживать, а я не могу теперь чувствовать себя с ней так, как раньше. Ее видная всем любовь слишком напрягает... Господи, другой был бы счастлив, а мне не надо. Позвоню Валентине Ивановне. Надеюсь, хоть она в меня не влюблена. Хотя вот Лали тоже в меня не влюблена. Или все-таки влюблена, а я не понял? Я ж ничего, как выяснилось, в этом не понимаю. Кто в кого влюблен или не влюблен. Значит, надо это выяснить... Я вел себя не как любящий мужчина, а как последний дурак. Права Фаина, я ее даже ни разу не поцеловал... А ну их всех, спать хочется. Он повернулся на другой бок и заснул.

Прошло десять дней. Он давно выздоровел, и одиннадцатого января вышел на работу. Пора было сдавать второй номер. И поскольку каникулы были длинные, то и раскачивались люди с трудом. Он был зол и раздражен. Заглянула секретарша.

— Родион Николаевич. Билеты доставили.

— Какие билеты? А, в Большой, что ли? Так отдай их Елене Игоревне. Это для нее.

— Родион Николаевич, это билеты на семнадцатое. В Мюнхен. На три дня. Туда и обратно. И ваучер на гостиницу.

— В Мюнхен? Ничего не понимаю, — а в груди помимо воли поднималось ликование. — Таня, а на чье имя?

— Так на ваше. На чье же еще? Так вы будете брать?

— Кто принес?

— Какой-то парень. Позвать?

— Позови.

В кабинет вошел парнишка лет двадцати, вполне отмороженный, с плеером в ушах и жвачкой во рту. Увидав солидного дядечку в крутящемся большом кресле, он вытащил наушник и языком двинул за щеку жвачку.

— Ну чего, билеты брать будете?

— А ты откуда?

— Из турагентства.

— Как называется?

— Вип Трэвел.

— И что?

— Да ниче. Спрашиваю, билеты брать будете? Мне-то по фигу, но вы тогда распишитесь, а насчет отказа с менеджера́ми разбирайтесь. Мое дело маленькое.

— Да нет, нет, я беру! Беру! — неожиданно сам для себя выкрикнул он. — Сколько я должен?

— Так уплочено уже.

— Кем? — вконец растерялся Родион.

— Да почем я знаю. Вами, наверное. Говорю же, с менеджера́ми разбирайтесь.

Родион ничего не понимал. Отпустив парнишку, он открыл конверт. Там лежал билет на рейс до Мюнхена и ваучер на номер в гостинице «Астор», в той самой, где он останавливался в прошлый раз. Хотелось бы знать, кто это для него так постарался? И кто мог знать название отеля? Неужто Олег? Но Олегу я не говорил про этот отель... Фаина? Это что, такой подвиг любви? Но откуда она знает про отель? А может, я сам заказал, когда был болен? Нет, не так уж я был болен. Да и с какой стати мне пользоваться совершенно неведомым турагентством? Но кто-то же заплатил за все? Про Мюнхен знают только Олег с Вавочкой и Фаина. Тоник? Неужто он? Неужто решил заманить меня в ловушку? Чушь какая! Надо позвонить... Но кому? В агентство!

— Таня! Позвони в агентство вот по этому телефону на конверте и выясни, кто заказал этот тур!

— Так разве не вы?

— Не я.

— И вы не поедете? Да? У нас же семнадцатого...

— Я поеду, Таня. Мне необходимо. Все.

Спятил он, что ли? — подумала секретарша. — Билеты незнамо кто прислал, а он поедет. Ему, видите ли, нужно. А почему тогда сам билеты не заказал? Странно. Пил небось без просыпу и забыл.

— Родион Николаевич!

— Что, Таня?

— Так в агентстве говорят, вы билеты заказали.

— Я?

— Вы. Я спросила кто, а они отвечают: Шахрин Родион Николаевич. Уплачено наличными.

— Ничего не понимаю. Тань, может, ты мне объяснишь?

— Родион Николаевич, вы, конечно, извините, но я думаю так: праздники были. Вы заказали и забыли. Вот же сами говорите, что поедете и вам нужно.

Он засмеялся.

— Ты, значит, полагаешь, что твой шеф был настолько пьян, что заказал эти билеты в беспамятстве? Интересная версия. Но не лестная для шефа.

— Я, конечно, извиняюсь, Родион Николаевич...

— Да ладно, в конце концов шефы тоже люди и в законные каникулы имеют право напиться.

— Это правда, — с важным видом кивнула секретарша. И вышла из кабинета.

Пусть лучше думает, что я надрался до беспамятства, чем обсуждает с сотрудниками таинственное происшествие с шефом. Но сам-то он знал, что не напивался в эти дни. Он позвонил Олегу.

— О, Родька! Как жизнь.

— Твоими стараниями лучше всех.

— Ты о чем? — недоуменно спросил Олег. После Нового года они не перезванивались.

— Это я от тебя подарок получил? Колись, дружище. И сколько я тебе должен?

— Родь, ты о чем, я не пойму? Что ты мне должен?

— Да, понимаешь ли, мне тут принесли кое-что, в подарок, а ты, я же знаю, спец по всяческим подаркам и сюрпризам...

— Родя, честное слово, это не от меня. Мы ж второго улетели в Египет, только позавчера вернулись.

— Олег, точно не твоих рук дело?

— Вавой клянусь!

— Интересно...

— Родь, а что за подарок-то?

— Да нет, если не от тебя, то неважно. Извини дружище, я на работе.

Итак, Олег отпал... Фаина? Но она не может знать про отель. Но, с другой стороны, отель может быть случайностью, простым совпадением. А может, это сама Лали? — осенила его догадка. Она почувствовала свою вину, поняла, что я могу больше не появиться, и решила устроить мне такой сюрприз? Тогда она обязательно встретит меня в аэропорту... У него замерло сердце. Неужто такое возможно? Да, скорее всего именно так... Ух ты! Здорово! Таким образом она одним махом смела все преграды между нами... После такого демарша совершенно естественно она дает мне картбланш... Какова! Воображение разыгралось. Вот он проходит таможню, выходит в зал и видит ее.

И все. Не нужно никаких слов. Все и так сказано. Можно подойти, молча обнять, поцеловать сразу в губы... Ну и все дальнейшее подразумевается тоже. Она отвезет его в отель и останется у него. Гениальный ход! Гениальный! Он уже ни о чем не мог думать. А если все-таки это не она? Но кто? Тоник? Вряд ли... А, ладно. Я все пойму уже в аэропорту. Если ее там не будет, значит, не она. Вот тогда и буду думать. Хотя, может быть она не заходит так далеко? Просто обеспечит мой приезд, а дальше уже на мое усмотрение... Ведь если она будет меня встречать, то выбора у меня практически не останется... А это может ее пугать. Но с другой стороны, я же могу сделать этот выбор сейчас. Просто отправить обратно билеты. И не лететь в Мюнхен. Однако, эта мысль показалась просто чудовищной.

Но тут в кабинет ворвался знаменитый фотограф Ник Никитин и заорал, что не может работать в таких условиях. Пришлось включиться в работу.

Чем больше он думал об этом, тем больше крепла его уверенность в том, что затеяла поездку Лали. Она умная, поняла, что любые объяснения между ними чреваты новой ссорой, а так все ясно и понятно. Она даже определила срок — три дня. Эти три дня можно просто провести в постели, там уж будет видно... Его бросало в жар и в холод от одной мысли об этом и он был почти невменяем от счастья и страха одновременно. Но одно ясно — никаких разговоров, только действия. Умница, великая женщина, нет, Женщина с большой буквы.

В самолете его трясло. Нестерпимо хотелось выпить. Но нельзя, чтобы она почувствовала запах перегара при первом поцелуе. Он так и видел ее, стоящей в зале встреч... И почему-то она виделась ему в той норковой жакетке, которую, как выяснилось, она так и не купила на Корфу. Смешно, ей богу.

Но вот самолет сел, осталось только пройти паспортный контроль. Багажа у него не было. Лишь небольшая сумка, которую он взял с собой в самолет. Зачем терять время?

Но вот он вышел. Завертел головой. Лали нигде не было видно. Может, она еще не припарковалась? Или отошла на минутку? Мало ли... Она ведь тоже волнуется. Некоторые женщины от волнения то и дело бегают в туалет. К тому же она может предположить, что я все-таки жду багажа... Больше получаса он слонялся по залу, но Лали не было.

Неважно, поеду сейчас в отель. И сразу позвоню ей. Скажу: Лали, любимая, прости... Нет, никаких звонков, никаких слов, только действия! Пойду в магазин. Вряд ли сейчас там толпы покупателей. Войду и ни слова не говоря обниму. Даже при Ирме. Мне плевать... Это она хотела, чтобы я приехал. Лали...

Он почему-то ожидал увидеть за стойкой фрау Марианну, но там сидела молодая и совершенно неинтересная девушка с холодным безразличным взглядом. Она взяла ваучер, сунула ему бланк. Потом проглядела заполненный листок и вручила ключ. И все без единой улыбки. Хотя на кой ляд мне улыбка этой рыбины? Мне нужна улыбка Лали. «Девственная селедка» — со смехом вспомнил он. Тоже вот рыбка, но какая разница!

Он быстро принял душ, оделся. Вдруг нестерпимо захотелось есть, аж в животе забурчало. Он летел самолетом маленькой немецкой авиакомпании, где не подавали ничего, кроме невкусного кофе и отвратительных сэндвичей. Он спустился в ресторан. В прошлый раз он там не был. Ресторан оказался итальянским. Он умял большую порцию спагетти-болоньезе, показавшихся ему невероятно вкусными, и выпил кофе. Наслаждение. Вышел на улицу. Было неожиданно тепло, градусов пять тепла. Он расстегнул куртку. И быстрым пружинящим шагом направился к магазину. Пока то да се, уже стемнело. Вот он увидел красивую вывеску «Лали». И уже ни о чем не мог думать. Магазин открыт. Но никого не видно. Он толкнул дверь. Звякнул колокольчик. Из подсобки выглянула Ирма.

— Здравствуйте, Ирма!

— Боже праведный! Родион Николаевич!

— Добрый вечер! А Лали здесь?

— Нет. Лали сегодня идет в Оперу. Она ушла полчаса назад. А вы какими судьбами?

— Какими судьбами? Даже и не знаю, что ответить. Да вы сами все понимаете...

Он вдруг совершенно растерялся. Ну не могла она уйти в Оперу, зная точно, что он прилетает. Но, может, она пошла туда, боясь, что будет ждать напрасно, что я не прилечу? Ерунда... Просто это не она... А кто?

— Родион, что с вами? — как сквозь вату донесся до него голос Ирмы. — Вам нехорошо?

— Да нет, просто... Простите, Ирма, но мне необходимо ее увидеть.

— Единственное, что я могу вам посоветовать, попробуйте перехватить ее после спектакля. Впрочем, я сейчас попытаюсь ей позвонить... Нет, она выключила телефон. Знаете, Лали первый раз после смерти мужа пошла в Оперу. Они постоянно ходили вместе.

— А с кем... с кем она пошла?

Ирма улыбнулась.

— С Петей и его девушкой.

— А... — облегченно вздохнул он.

— Хотите кофе? Кстати, чайник работает прекрасно. Спасибо вам.

— А что я говорил! Нет, кофе не хочу. Но скажите, куда она пошла, в какой театр?

— В Национальный. Это не так далеко.

— Я сейчас же пойду... А что там дают?

— Не помню, а, кажется «Сомнамбулу» Беллини. А может я что-то путаю. Знаете, опера это совсем не моя тема.

— Да и не моя тоже. Просто хотелось бы знать, во сколько кончается спектакль.

— О, это несложно.

Ирма открыла компьютер.

— В двадцать два пятнадцать.

— Спасибо. Я попробую...

Они вышли вместе, он помог Ирме опустить железную штору.

— Знаете что, я вас провожу до театра, и покажу, где лучше ее ждать.

— Ирма, у меня нет слов...

Она довела его до театра, показала, где следует ждать.

— Ну вот, удачи вам, Родион. Я искренне желаю вам удачи.

— Спасибо.

Он огляделся. Город был действительно прекрасен, а без новогодней мишуры еще лучше. Вдруг у него зазвонил мобильник. Он вздрогнул. Номер не определился.

— Алло!

— Родька, ты счастлив, скажи?

— Фаина! Так это ты все устроила?

— Я. Скажи, это было не зря?

— Но тебе-то это зачем?

— Ты дурак, Родя. Большой дурак.

— Я знаю.

— Ты мне не ответил. Ты счастлив?

— Кажется, да.

— А я, Родя, выхожу замуж. И я сейчас в Риме. Это был мой прощальный подарок. Я в Москву скорее всего не вернусь. Прощай! — она отключилась.

Ему стало грустно. Он пошел бродить по городу. Да, Фаина девушка незаурядная. А моя Лали вовсе не та, какую я придумал себе, получив эти билеты. Она вовсе не хитра, не предусмотрительна, такой изощренный трюк ей и в голову-то не придет. И слава Богу. Я просто ее люблю. Я повел себя как идиот и приехал просить прощения. Все просто и так хорошо... так понятно... Не хочу я никаких трюков. Я хочу Лали, такую, какая она есть.

Когда он взглянул на часы, было уже без пяти десять. Он прибавил шаг. В запасе сверх обозначенного времени еще как минимум минут десять. Овации, гардероб, может быть, разговоры и восторги...

На месте он был ровно в десять пятнадцать. Минут через семь появились первые зрители. Он так всматривался в толпу выходящих, что у него даже закружилась голова. И тут он увидел ее. Она показалась ему самой прекрасной женщиной на свете.

— Лали! — он шагнул к ней.

Она вдруг так просияла, что он не стал ничего говорить, а просто притянул к себе, обнял.

Она ткнулась носом ему в грудь.

— Как ты меня нашел?

— Не надо ничего говорить, — шепнул он.

Они стояли так, а толпа обтекала их. Петя подхватил Анне-Лору и увел. Скоро толпа рассосалась, а они все стояли. Они не знали, как им быть дальше, что с ними будет, но сейчас оба были счастливы.

Спасибо, Фаина!

Литературно-художественное издание

Екатерина Николаевна Вильмонт

ДЕВСТВЕННАЯ СЕЛЕДКА

Ответственный редактор *И. Н. Архарова*
Технический редактор *Т. П. Тимошина*
Корректор *И.Н. Мокина*
Компьютерная верстка *И.В. Михайловой*

ООО «Издательство АСТ»
141100, РФ, Московская обл., г. Щелково, ул. Заречная, д. 96

ООО «Издательство Астрель»
129085, г. Москва, пр-д Ольминского, д.3а

Вся информация о книгах и авторах
Издательской группы «АСТ» на сайте:
www.ast.ru

По вопросам оптовой покупки
книг Издательской группы «АСТ» обращаться по адресу:
г. Москва, Звездный бульвар, 21 (7 этаж)
Тел.: 615-01-01, 232-17-16

Заказ по почте:
123022, Москва, а/я 71, «Книга — почтой»,
или на сайте shop.avanta.ru

Издано при участии ООО «Харвест».
ЛИ № 02330/0494377 от 16.03.2009.
Республика Беларусь, 220013, Минск, ул. Кульман,
д. 1, корп. 3, эт. 4, к. 42.
E-mail редакции: harvest@anitex.by

ОАО «Полиграфкомбинат им. Я. Коласа».
ЛП № 02330/0150496 от 11.03.2009.
Республика Беларусь, 220600, Минск, ул. Красная, 23.

ЧИТАТЕЛИ – ПИСАТЕЛЯМ

Издательство АСТ и писатели российского ПЕН-центра открывают благотворительную Программу помощи писателям, находящимся в тяжелом, а подчас и бедственном положении.

Среди них авторы известных стихов, пьес, прозы – писатели – участники Великой Отечественной войны, люди, выжившие в лагерях уничтожения, нуждающиеся в лечении.

ИМ ОЧЕНЬ НУЖНА ВАША ПОМОЩЬ!

Вы можете помочь нуждающимся писателям, перечислив свой взнос на счет программы:

Благотворительный фонд «Тепло сердец»
ИНН 7701359136 КПП770101001
Р/с: 40703810000000001562
Банк получателя: ОАО «ТрансКредитБанк»
БИК: 044525562
К/с: 30101810600000000562
Назначение платежа: Целевое пожертвование на благотворительную программу «Помощь писателям»

Более подробную информацию о Программе, а также полную информацию о поступивших и использованных средствах вы можете узнать на сайте http://www.teploserdec.ru

Члены Исполкома российского ПЕН-центра:

Аркадий Арканов
Белла Ахмадулина
Андрей Битов
Зоя Богуславская
Андрей Вознесенский
Александр Городницкий
Фазиль Искандер
Игорь Иртеньев
Юнна Мориц
Алексей Симонов
Людмила Улицкая